Glorify

Glorify

Devocionais para uma vida mais conectada com Deus

Copyright © 2023 por Tupoe Ltd.

Os textos bíblicos foram extraídos da *Nova Versão Transformadora* (NVT), da Tyndale House Foundation, salvo indicação específica.

Todos os direitos reservados e protegidos pela Lei 9.610, de 19/02/1998.

É expressamente proibida a reprodução total ou parcial deste livro, por quaisquer meios (eletrônicos, mecânicos, fotográficos, gravação e outros), sem prévia autorização, por escrito, da editora.

Créditos de imagens: Julia Müller/Adobe Stock, capa; David Marcu/Unsplash, 5; Petr Vysohlid/Unsplash, 14; Ali Fekri/Unsplash, 18-30; Rodolfo Barreto/Unsplash, 32, 64; Alan Fitzsimmons/Unsplash, 34-46; Gontran Isnard/Unsplash, 48, 80; Calvin Weibel/Unsplash, 50-62; Julia Verea/Unsplash, 66-78; Mathew Waters/Unsplash, 82; Alevision Co/Unsplash, 86-98; Vivien Wauthier/Unsplash, 100, 132; Moosa Haleem/Unsplash, 116, 148; Ines Alvarez/Unsplash, 118-130; Asoggetti/Unsplash, 134-146; Oleg Chursin/Unsplash, 150; Cole Keister/Unsplash, 154-166; Pexels Avery, 168, 200; Alan Jones/Unsplash, 170-182; Samuel Ferrara/Unsplash, 184, 216; Alberto Restifo/Unsplash, 186-198; Lukasz Szmigiel/Unsplash, 202-214; Reiseuhu Uo/Unsplash, 218; Irina Shishkina/Unsplash, 222-234; Simon Pallard/Unsplash, 236, 268; Ernest Malimon/Unsplash, 238-250; Claudio Testa/Unsplash, 252, 284; Spencer Watson/Unsplash, 254-266; Dave Hoefler/Unsplash, 270-282.

CIP-Brasil. Catalogação na publicação
Sindicato Nacional dos Editores de Livros, RJ

G483g

    Glorify
      Glorify : devocionais para uma vida mais conectada com Deus / Glorify. - 1. ed. - São Paulo : Mundo Cristão, 2023.
      288 p.

      ISBN 978-65-5988-249-6

      1. Bíblia - Uso devocional. 2. Devoções diárias. I. Título.

23-85677   CDD: 242.2
                                       CDU: 27-532.4

Gabriela Faray Ferreira Lopes - Bibliotecária - CRB-7/6643

Categoria: Devocional
1ª edição: outubro de 2023

Edição
Daniel Faria

Revisão
Ana Luiza Ferreira

Produção
Felipe Marques

Diagramação
Marina Timm

Capa
Glorify Brasil

Publicado no Brasil com todos os direitos reservados por:
Editora Mundo Cristão
Rua Antônio Carlos Tacconi, 69
São Paulo, SP, Brasil
CEP 04810-020
Telefone: (11) 2127-4147
www.mundocristao.com.br

Sumário

9 Apresentação **11** Introdução

14 TEMA 1 — Fundamentos da fé

17 Semana 1 — O grande Eu Sou
33 Semana 2 — Vivendo o caráter de Deus
49 Semana 3 — De volta ao princípio
65 Semana 4 — Heróis da fé: deixando um legado

82 TEMA 2 — Lidando com as aflições

85 Semana 1 — Superando a preocupação e o medo
101 Semana 2 — Lidando com decepções
117 Semana 3 — Provações e tentações
133 Semana 4 — Encorajamento nas Escrituras

150 — TEMA 3 — Virtudes bíblicas

- **153** Semana 1 — **Santidade**
- **169** Semana 2 — **A paz de Cristo**
- **185** Semana 3 — **Coragem e sabedoria**
- **201** Semana 4 — **A virtude da fé**

218 — TEMA 4 — Vivendo valores cristãos

- **221** Semana 1 — **Discipulado diário**
- **237** Semana 2 — **O poder da oração**
- **253** Semana 3 — **Adoração e louvor**
- **269** Semana 4 — **Sete chaves para a devoção espiritual**

Apresentação

O foco da vida cristã precisa ser o encontro diário com o Senhor. Afinal, a vida de fé é uma constante e crescente caminhada com Deus.

Desde pequena, aprendi nas mesas de café da manhã a iniciar o dia com um devocional, meditando na Palavra de Deus e buscando conhecê-lo em espírito e em verdade. Foi essa constância que me fez crescer e amar o Senhor sempre mais e mais. A leitura bíblica, a oração e a adoração são práticas que me aproximaram do Pai, do Filho e do Espírito Santo, e que me mudaram de dentro para fora.

O Glorify é exatamente isso. Um devocional que nos ajuda a ser mudados de dentro para fora.

Lembro-me da empolgação que senti ao acompanhar o início do Glorify no Brasil e sua rápida expansão. Os brasileiros agora poderiam acessar a Palavra de Deus enquanto dirigem no trânsito, meditar em passagens bíblicas durante o horário de almoço, fazer seu devocional na tranquilidade do lar. Onde e quando quer que fosse, a tecnologia poderia ser usada a favor da edificação espiritual e alcançar cada vez mais pessoas.

Celebrei nosso primeiro milhão de usuários e nosso crescimento em todo o mundo, pois entendi que o Glorify é mais que uma empresa ou um aplicativo para devocionais. Glorify é uma missão! É a missão de alcançar todo cristão, todos os dias, possibilitando continuamente um encontro mais profundo com Deus por meio das Sagradas Escrituras. É acordar sabendo que hoje estarei preparada para mais um dia porque serei abastecida com mais um pouco de conhecimento do Senhor. Nesse sentido, o Glorify é um instrumento dos céus, criado por uma equipe que entendeu sua missão e que sonha em ver cada dia mais pessoas crescendo em intimidade e devoção a Jesus.

Espero que, através deste livro e de nossos devocionais diários, você redescubra novas facetas do relacionamento com o Senhor e mergulhe mais fundo em sua doce presença. E não se esqueça: Glorify significa glorificar. Que possamos todos os dias acordar glorificando, exaltando e celebrando o santo nome de Deus.

Faça você também parte desta missão. Espalhe o Glorify e contribua com o crescimento diário de muitos. Não existe nada que se compare a uma vida com Jesus, a busca diária de conhecer mais de seu caráter, sua história e seu sacrifício.

Com amor,

Lu Alone
Cantora e compositora

Introdução

Bem-vindo ao Glorify.

Hoje, você está iniciando uma jornada que o aproximará de Deus.

Nestes momentos de agitação e incerteza, todos estamos em busca de significado. Quem sou eu? Por que estou aqui? Qual é meu propósito?

A cosmovisão cristã oferece respostas a essas perguntas. E as respostas não são teóricas, acadêmicas ou elitistas. Em vez disso, são pessoais, atenciosas e estão abertas a todos. São respostas que podem mudar profundamente uma vida.

A Bíblia nos diz que a resposta para nossas dores e nossos anseios mais profundos reside em uma pessoa: Jesus Cristo. Por meio da conexão com ele, todos nós podemos encontrar uma vida de significado, propósito, alegria e paz. É a vida para a qual fomos criados.

Portanto, é para isso que este livro serve: para ajudar você a se conectar com Deus.

O objetivo do Glorify é tornar-se seu auxiliar diário em sua jornada espiritual, possibilitando que você tenha um encontro com Deus que transforme sua vida por completo. Nossa esperança é que você — e, em última instância, todo cristão, todos os dias — encontre alegria e intimidade com Deus por intermédio do Glorify. Acreditamos que conexões pequenas e constantes com Deus podem ajudar a combater a ansiedade, viver com propósito, dormir melhor e apoiar seu bem-estar geral.

Queremos capacitar você a refletir e a desfrutar seu tempo diário com Deus da maneira que melhor se encaixe em sua rotina. Este livro, portanto, é sua oportunidade de reimaginar e aprofundar sua conexão com Deus.

À medida que avançar por estas páginas, elas o aproximarão de Jesus e incentivarão sua prática de fé. Por meio de reflexões cuidadosamente elaboradas, percorreremos juntos quatro grandes temas, cada um deles ocupando uma série de quatro semanas. Em primeiro lugar, consideraremos os fundamentos da fé cristã. Em seguida, conheceremos ferramentas espirituais saudáveis para lidar com as aflições. Então, avaliaremos como Jesus pode nos ajudar a moldar nosso caráter, mesmo em meio às dificuldades da vida, ao refletirmos sobre virtudes bíblicas. Por fim, encerraremos com uma investigação prática de como viver valores cristãos.

Essas leituras devocionais são, em outras palavras, momentos de adoração diária. O intuito é ajudar você a *aproximar-se* de Deus, *aquietar-se* na serena presença do Senhor e *conectar-se* com ele pessoalmente.

Aproxime-se

> Aproximem-se de Deus, e ele se aproximará de vocês.
> Tiago 4.8

Desenvolver uma prática devocional regular é a chave para uma vida espiritual saudável. O convite de Deus para nós é claro: uma vez que nos aproximamos dele, ele se aproximará de nós. A vida com Jesus significa cultivar um relacionamento próximo e autêntico com ele.

À medida que você se envolve com esses devocionais, deixe que eles o aproximem de Deus. Por um momento a cada dia, resista à pressa de seu mundo agitado e dê espaço para que Deus fale com você. É hora de se achegar.

Aquiete-se

> Aquietem-se e saibam que eu sou Deus!
> Salmos 46.10

O que quer que você esteja enfrentando neste momento, será melhor enfrentá-lo na companhia de Jesus. Na presença de Deus, encontramos uma paz profunda que o mundo não é capaz de oferecer. No entanto, tantas vezes estamos ocupados e apressados a ponto de nem mesmo lembrarmos que Deus está conosco.

Ao diminuir o ritmo, reservando um tempo a cada dia para buscar Jesus, você encontrará uma tranquilidade que restaura a alma. Reserve tempo para ficar em silêncio, a fim de que a bondade, a graça e a glória de Deus possam transbordar em sua vida, recalibrando sua perspectiva e lembrando-o de que, com ele, tudo ficará bem. Portanto, respire fundo. Deus é maior do que seus problemas.

Conecte-se com Deus

> Sim, eu sou a videira; vocês são os ramos. Quem permanece em mim, e eu nele, produz muito fruto. Pois, sem mim, vocês não podem fazer coisa alguma.
> João 15.5

Quanto mais tempo passamos com Deus, mais o conhecemos. Quando permanecemos nele, passando tempo em sua presença, o Espírito produz em nós seu belo fruto: amor, alegria, paz, paciência, amabilidade, bondade, fidelidade, mansidão e domínio próprio. Nossa vida é transformada! Um livro como o que você tem em mãos pode funcionar como seu convite diário para se conectar com esse Deus incrível. Coloque-o em um lugar onde você possa acessá-lo facilmente, todos os dias. E observe como sua fé crescerá no processo.

Aproxime-se. Aquiete-se. Conecte-se com Deus. Esse é um padrão para a transformação espiritual. E é o padrão que praticaremos nas próximas semanas.

À medida que você avança nestas leituras devocionais, oramos para que elas renovem sua mente, restaurem seu espírito e revigorem sua alma. E que você encontre a beleza de seu maravilhoso Salvador, Jesus Cristo.

Como dizem as Escrituras:

> "Feliz é aquele que não segue o conselho dos perversos, não se detém no caminho dos pecadores, nem se junta à roda dos zombadores. Pelo contrário, tem prazer na lei do Senhor e nela medita dia e noite. Ele é como a árvore plantada à margem do rio, que dá seu fruto no tempo certo. Suas folhas nunca murcham, e ele prospera em tudo que faz" (Salmos 1.1-3).

Aproveite a jornada!

TEMA 1

Fundamentos da fé

SEMANA **1**   2 3 4

O grande Eu Sou

> Deus quer que saibamos que, quando nós o temos, temos tudo.
> A. W. Tozer

DIA 1

Eu sou o pão da vida

JOÃO 6.28-35

"Nós também queremos realizar as obras de Deus", disseram eles. "O que devemos fazer?" Jesus lhes disse: "Esta é a única obra que Deus quer de vocês: creiam naquele que ele enviou". Eles responderam: "Se deseja que creiamos no senhor, mostre-nos um sinal. O que o senhor pode fazer? Afinal, nossos antepassados comeram maná no deserto! As Escrituras dizem: 'Moisés lhes deu de comer pão do céu'". Jesus disse: "Eu lhes digo a verdade: não foi Moisés quem lhes deu pão do céu. É meu Pai quem dá o verdadeiro pão do céu a vocês. O verdadeiro pão de Deus é aquele que desce do céu e dá vida ao mundo". "Senhor, dê-nos desse pão todos os dias", disseram eles. Jesus respondeu: "Eu sou o pão da vida. Quem vem a mim nunca mais terá fome. Quem crê em mim nunca mais terá sede".

Devocional

Você certamente já sentiu o desconforto da fome. Ela afeta nosso estado de espírito e diminui nossa produtividade. A fome nos obriga a buscar qualquer coisa que nos satisfaça, mesmo que isso resulte em escolhas desesperadas. A comida, porém, não é a única coisa pela qual sentimos fome.

Como humanos, temos desejos mais profundos. Por exemplo, o desejo de relacionamento, de aceitação ou compreensão, ou simplesmente de paz. Há sempre alguma insatisfação em nós. Esses anseios da alma podem ser tão destrutivos quanto a falta de alimento. Eles nos tiram do eixo e nos induzem a escolhas ruins. Se essa é sua realidade, trago boas notícias: você não precisa passar fome, só precisa saber onde procurar o alimento certo. Jesus é o único que pode satisfazer seus anseios mais íntimos. Ele diz: "Eu sou o pão da vida", e com essa frase nos lembra a verdade de que ele é o Deus que tudo provê. Há aqui três princípios sobre sua provisão.

Em primeiro lugar, Jesus é Deus. Séculos antes, Deus havia se revelado a Moisés usando o nome Yahweh, "Eu Sou" (Êxodo 3.14). Quando Jesus usa essa mesma identificação gerações depois, ele está enfatizando quem ele é: o Deus todo-poderoso da criação. Jesus não é qualquer pão. Ele é o pão divino e eterno, o único sustento digno de nossa atenção.

Segundo, Jesus é tão essencial para nós quanto o alimento é para nosso corpo. A vida verdadeira não pode ser encontrada em nenhum outro lugar. Dinheiro, sexo e poder não são capazes de nos satisfazer, muito menos sustentar. Sem Deus, tudo culmina em destruição e vazio. A presença de Cristo é a única fonte duradoura de vida.

Terceiro, somente Jesus pode satisfazer nossos desejos mais profundos. A passagem bíblica que lemos hoje se dá logo após Jesus ter alimentado cinco mil pessoas. Uma multidão havia começado a segui-lo na expectativa de mais comida. Mas Jesus lhes dá algo melhor. Ele atende às necessidades da alma. Nós, seres humanos, desejamos nos sentir conhecidos e amados e, primordialmente, precisamos de um Salvador. Jesus satisfaz tudo isso. Ele nos oferece perdão e redenção, nos nutre espiritualmente e cuida integralmente de nossa alma.

Qualquer que seja sua necessidade, recorra a Jesus. Lembre-se que Deus é aquele que provê e que, portanto, você não precisa viver de migalhas. Jesus é o pão de que você precisa, o Pão da Vida. Ele o satisfará.

Oração

Senhor Jesus, tu és o único que pode me satisfazer em todas as coisas. Tu somente tens aquilo de que necessito. Agradeço-te por seres o pão da vida. Contigo sei que nunca passarei fome. Creio em tua Palavra, por isso sei que de nada terei falta. És tu quem satisfaz os anseios mais profundos da minha alma, quem me alimenta e sustenta. Ajuda-me a confiar mais em ti e a entregar-te todo o meu coração. Em teu nome. Amém.

Anotações

> Toda a escuridão do mundo não é capaz de extinguir a luz de uma única vela.
> Francisco de Assis

DIA 2

Eu sou a luz do mundo

JOÃO 8.10-12

Então Jesus se levantou de novo e disse à mulher: "Onde estão seus acusadores? Nenhum deles a condenou?". "Não, Senhor", respondeu ela. E Jesus disse: "Eu também não a condeno. Vá e não peque mais". Jesus voltou a falar ao povo e disse: "Eu sou a luz do mundo. Se vocês me seguirem, não andarão no escuro, pois terão a luz da vida".

Devocional

O Farol de Alexandria foi uma das Sete Maravilhas do Mundo Antigo. Ostentando mais de cem metros de altura, proporcionava segurança às embarcações. Era capaz de projetar um raio de luz de cem quilômetros à noite, ajudando a conduzir os marinheiros de volta para casa. Historiadores creditam essa obra-prima a Sóstrato, o arquiteto da torre. No entanto, diz a lenda que, concluída a construção do farol, Ptolomeu II, rei do Egito, exigiu que seu nome aparecesse na inscrição de homenagem da torre. Ptolomeu queria o crédito no lugar do construtor. Sóstrato, inteligentemente, esculpiu seu próprio nome no fundo de mármore, e então o cobriu com o gesso contendo a inscrição de Ptolomeu. Passado o tempo, o gesso se desgastou, revelando o nome do verdadeiro arquiteto do farol.

Em meio à escuridão de nosso mundo, muitos afirmam ter respostas para nossos anseios mais profundos. "Enriqueça e livre-se dos problemas", "Ganhe seguidores e vença a solidão", "Foque-se em si mesmo e sua ansiedade desaparecerá". O problema é que nenhum desses caminhos é verdadeiro. A exemplo de Ptolomeu, tais promessas reivindicam falsamente autenticidade, mas nenhuma delas proporciona paz e segurança duradouras. Precisamos de ajuda para não andarmos perdidos na escuridão, e por isso recorremos a Jesus.

A passagem que lemos acima nos mostra que a luz destrói irreversivelmente a escuridão em nossa vida. Jesus é o único capaz de nos conduzir em segurança para casa. E, no entanto, é justamente ele que nossa cultura procura ocultar, ignorar e tornar alvo de zombaria. Assim, a escuridão permanece ao redor. Como a inscrição do farol, a verdade está lá para os que cavam mais fundo. As paixões e soluções enganosas deste mundo são como gesso frágil, e um dia serão destruídas. Jesus, em contrapartida, é a rocha inabalável, o mestre de obras por trás da criação. Ele é quem nos salva das sombras. É o legítimo arquiteto e a verdadeira luz.

Leia novamente as palavras de Cristo: "Eu sou a luz do mundo. Se vocês me seguirem, não andarão no escuro, pois terão a luz da vida". Que promessa! Se você já esteve em uma caverna escura, conhece o poder da luz: ela protege das trevas, guia o caminho e revela os perigos. Onde há luz, há esperança. Onde há luz, há vida. Saiba que Jesus é seu farol: aquele que salva você do pecado e o leva para casa. Levante seus olhos e deixe que o Senhor ilumine seu caminho.

Oração

Amado Senhor Jesus, tu és a luz do mundo. Eu te agradeço pois, ao seguir-te, nunca mais precisarei andar nas trevas. Ajuda-me a viver em tua luz. Nas áreas de minha vida que estão tomadas pela escuridão, dá-me sabedoria, orientação e cura. Destrói as trevas por meio do poder de teu Espírito Santo e ajuda-me a levar a verdadeira luz a todos os que me rodeiam hoje. Em teu nome. Amém.

Anotações

DIA 3
Eu sou a porta das ovelhas

> **JOÃO 10.7-10**
>
> [Jesus disse:] "Eu lhes digo a verdade: eu sou a porta das ovelhas. Todos que vieram antes de mim eram ladrões e assaltantes, mas as ovelhas não os ouviram. Sim, eu sou a porta. Quem entrar por mim será salvo. Entrará e sairá e encontrará pasto. O ladrão vem para roubar, matar e destruir. Eu vim para lhes dar vida, uma vida plena, que satisfaz".

Devocional

Uma vida que progride na fé requer uma constante transferência de toda nossa confiança para Deus. É uma transição consistente e intencional da dependência do mundo para a dependência de Deus. Em vez de confiar em nossa posição financeira, confiamos na provisão de Deus. Em vez de encontrar nossa identidade nas redes sociais, confiamos na paternidade de Deus. Em vez de confiar em nossa carreira, confiamos no controle de Deus.

Se você tem dificuldade para confiar em Deus em algum âmbito da vida, a maneira mais prática de crescer em confiança é conhecer profundamente aquele em quem sua fé reside. É então que ocorre a transformação, pois não podemos confiar em alguém que não conhecemos. Nas sete definições que Jesus nos dá de si mesmo no Evangelho de João, encontramos um precioso conteúdo para a edificação de nossa fé. Jesus está se revelando para que possamos conhecê-lo melhor.

Na passagem de hoje, Jesus se identifica como a porta das ovelhas. Sendo assim, conhecer um pouco mais sobre as ovelhas nos ajudará a aprofundar nosso entendimento dessa passagem. De todos os animais domesticados, as ovelhas são as mais indefesas. Elas se perdem com frequência e são vulneráveis a predadores. Demandam orientação e proteção constantes, pois, sem ajuda, rapidamente se perdem. A fim de protegê-las, todas as noites os pastores antigos colocavam seus rebanhos em cercados de pedra. Essas estruturas não tinham portas, de modo que o pastor se deitava junto à abertura para deter os predadores.

Quando Jesus se anuncia como a porta das ovelhas, ele está enfatizando a questão da proteção e salvação de Deus. Está se apresentando como alguém que sacrifica a si mesmo por seu rebanho, cobrindo qualquer brecha no intuito de manter seu povo seguro. Essa é uma bela imagem, repleta de significados.

Em primeiro lugar, somos lembrados de que o único caminho para a família de Deus é através de Jesus. Não há outra forma de entrar. Jesus é a porta de entrada para a salvação, nossa única esperança. Vemos também que somos como ovelhas, vulneráveis e carentes de ajuda. É importante admitirmos nossa pequenez.
Não podemos seguir por esta vida sozinhos, mas Deus é nosso pastor e protetor sempre presente. Por fim, percebemos que, em Jesus, encontramos pastos largos. Se o seguirmos, ele nos conduzirá a um lugar de paz e vida abundante. Podemos experimentar isso e comprovar que Deus sempre sabe o que é melhor para nós.

Oração

Amado Senhor Jesus, obrigado por teres entregado tua vida para me salvar. És meu protetor e provedor. Busco tudo de que necessito em ti, e em ti sei que estou seguro. Quando me sentir perdido ou vulnerável, ajuda-me a refugiar-me em ti. Confio que me conduzirás a pastos seguros e pacíficos. Em teu santo nome. Amém.

Anotações

> Sob os cuidados do Bom Pastor, nossa alma é restaurada.
> Sob o pastoreio de nossa cultura, nossa alma é destruída.
> Jon Tyson

DIA 4

Eu sou o bom pastor

JOÃO 10.11-15

[Jesus disse:] "Eu sou o bom pastor. O bom pastor sacrifica sua vida pelas ovelhas. O empregado foge quando vê um lobo se aproximar. Abandona as ovelhas porque elas não lhe pertencem e ele não é seu pastor. Então o lobo as ataca e dispersa o rebanho. O empregado foge porque trabalha apenas por dinheiro e não se importa de fato com as ovelhas. Eu sou o bom pastor. Conheço minhas ovelhas, e elas me conhecem, assim como meu Pai me conhece e eu o conheço; e eu sacrifico minha vida pelas ovelhas".

Devocional

Fazendo eco ao salmo 23 escrito por Davi gerações antes, a passagem de hoje proclama Jesus como nosso bom pastor. Jesus explicitamente se anuncia como aquele que cuida de nossa alma, o tão esperado pastor que está prestes a dar a vida por suas ovelhas e cumprir o plano de salvação de seu Pai por todas as pessoas.

A imagem de Jesus como um bom pastor, imagem essa que recebe alusão em toda a Escritura mas que é expressa claramente aqui, é uma das perspectivas mais famosas que temos de nosso Senhor. Ela nos revela muito sobre seu caráter. Descobrimos Jesus como nosso protetor, provedor, consolador e guia. Em nossa ansiedade, sua presença é certa; em nossa insegurança, seu compromisso conosco é absoluto; em nosso afastamento, sua disciplina nos traz para casa. Ele nos ama, nos socorre e jamais nos abandona.

Todavia, o que Cristo fez é mais profundo do que essas bênçãos: Jesus carregou toda a nossa culpa para nos dar salvação eterna. Isso mostra que ele não é um mercenário que nos guarda tão somente até que a situação se torne difícil. Pelo contrário, ele permanece conosco até o fim. Ele provou seu cuidado enfaticamente ao suportar a cruz em nosso favor, morrendo a morte que deveríamos ter morrido a fim de que pudéssemos ganhar vida eterna.

Ao contrário de toda infidelidade que vemos em nossa cultura — líderes autoproclamados que priorizam a si mesmos — Jesus é o pastor perfeito que entrega tudo por suas ovelhas. Ninguém nos ama mais ou se importa tanto conosco quanto ele. Ninguém jamais se sacrificou de tal maneira por nós. Jesus é o melhor pastor para sua alma. Não se esqueça de tudo o que ele fez e agradeça-lhe, pois o Senhor é digno de toda adoração.

Medite nestas palavras escritas por Gregório de Nazianzo em 381 d.C. Cada uma delas nos lembra de forma poderosa do Grande "Eu Sou" que seguimos: "Jesus, Senhor de todos. Jesus começou seu ministério tendo fome, mas é o Pão da Vida. Jesus terminou seu ministério terreno com sede, mas é a Água Viva. Jesus sentiu cansaço, mas é nosso descanso. Jesus prestou tributos, mas é o Rei. Jesus chorou, mas enxuga nossas lágrimas. Jesus foi levado como cordeiro para o matadouro, mas é o Bom Pastor. Jesus morreu, mas com sua morte destruiu o poder da morte". Louvado seja Deus!

Oração

Senhor Jesus, obrigado por seres o bom pastor e por teres dado a vida por mim. Contigo, nada me falta. Tu me dás paz e me refrigeras a alma. Andas ao meu lado quando me encontro em vales profundos e sombrios. Hoje eu me entrego novamente a teus cuidados e me coloco em tuas mãos, meu Senhor, Salvador e Rei. Amém.

Anotações

> O próprio Jesus Cristo é a exegese final de toda a verdade.
> Ele é tudo que precisamos saber sobre Deus,
> e é tudo que precisamos saber sobre o ser humano.
>
> W. Ian Thomas

DIA 5

Eu sou a ressurreição e a vida

JOÃO 11.21-27

Marta disse a Jesus: "Se o Senhor estivesse aqui, meu irmão não teria morrido. Mas sei que, mesmo agora, Deus lhe dará tudo que pedir". Jesus lhe disse: "Seu irmão vai ressuscitar". "Sim", respondeu Marta. "Ele vai ressuscitar quando todos ressuscitarem, no último dia." Então Jesus disse: "Eu sou a ressurreição e a vida. Quem crê em mim viverá, mesmo depois de morrer. Quem vive e crê em mim jamais morrerá. Você crê nisso, Marta?". "Sim, Senhor", respondeu ela. "Eu creio que o senhor é o Cristo, o Filho de Deus, aquele que veio ao mundo da parte de Deus."

Devocional

Você já testemunhou uma fala tão surpreendente que deixou todos ao redor sem reação, estupefatos, atônitos? Quando Jesus entrou em Betânia e ressuscitou Lázaro da morte, sua declaração foi, sem dúvida, algo de deixar todos de queixo caído. Ele disse: "Eu sou a ressurreição e a vida. Quem crê em mim viverá, mesmo depois de morrer". E, quanto mais meditamos nessa afirmação, mais profunda ela se torna.

A ressurreição não é um evento. É uma pessoa. Jesus não é tão somente o originador ou a causa do poder da ressurreição (embora ambos os aspectos sejam verdadeiros). Ele é algo maior: a própria ressurreição. Onde a morte traz desespero e fim, a pessoa de Jesus traz esperança viva. Ele demonstrou isso ao levantar Lázaro do túmulo, e o fez novamente ao vencer a própria sepultura. A ressurreição não é apenas algo que Jesus faz. É quem ele é.

A vida eterna não é uma teoria. É um relacionamento. Jesus é a encarnação da própria vida, levando a eternidade a todos que a ele estão ligados. Portanto, quando Jesus diz: "Quem crê em mim viverá, mesmo depois de morrer", está se referindo ao que é realidade para aqueles que se arrependem de seus pecados, creem nele como único e suficiente Salvador e cultivam com ele um relacionamento pessoal. A vida eterna não é um conceito etéreo, mas um conceito relacional, que decorre inevitavelmente do ato de crer e confiar em Jesus.

A vitória é uma realidade presente, não apenas uma expectativa futura. Enquanto Jesus falava, Marta supôs que ele se referia à ressurreição no final dos tempos. No entanto, ela não compreendeu o significado do que Jesus disse. Jesus não estava apontando para a vitória de Deus na ressurreição e juízo final. Estava apontando para si mesmo, afirmando que ele próprio era a vitória de Deus. Hoje podemos caminhar nesta verdade: já vivemos uma vida de vitória, pois a morte perdeu seu aguilhão.

Percebe a grandiosidade disso tudo? É nesse Deus vivo e ressurreto que você pode depositar sua confiança. Porque Jesus é a ressurreição, nada neste mundo pode acabar com você. Porque Jesus é a vida, ninguém pode roubar o propósito ou valor que você tem. Porque Jesus é a vitória, qualquer derrota que você vivencie é meramente temporária. Nele, você é mais que vencedor! Portanto, tenha seu foco em Jesus. A ressurreição e a vida eterna estão encarnadas nele, e só em um relacionamento com ele elas podem ser encontradas.

Oração

Querido Senhor Jesus, tu és a ressurreição e a vida, e em ti reside todo o poder. Leva-me a compartilhar com outros hoje teu amor e teu evangelho de salvação. Enche-me de confiança para dar ânimo aos desanimados à minha volta, e de ousadia para orar pelos que sofrem. Dá-me um coração generoso para com os que me rodeiam. Agradeço-te porque, independentemente das circunstâncias, eu tenho a ti e contigo vencerei. Em teu doce nome. Amém.

Anotações

> Se um homem ainda não descobriu a causa pela qual morrerá, ele ainda não está preparado para viver.
>
> Martin Luther King Jr.

DIA 6

Eu sou o caminho, a verdade e a vida

JOÃO 14.1-6

[Jesus disse:] "Não deixem que seu coração fique aflito. Creiam em Deus; creiam também em mim. Na casa de meu Pai há muitas moradas. Se não fosse assim, eu lhes teria dito. Vou preparar lugar para vocês e, quando tudo estiver pronto, virei buscá-los, para que estejam sempre comigo, onde eu estiver. Vocês conhecem o caminho para onde vou." "Não sabemos para onde o Senhor vai", disse Tomé. "Como podemos conhecer o caminho?" Jesus disse: "Eu sou o caminho, a verdade e a vida. Ninguém pode vir ao Pai senão por mim".

Devocional

Imagine um turista explorando uma nova cidade. Após passar o dia em diferentes locais e tirando inúmeras fotos, a bateria do celular acaba. No entanto, ele ainda precisa voltar ao hotel. Então, avista um casal e lhes pede informações. Um dos dois responde com direções complicadas, repletas de curvas e nomes de ruas. Felizmente, o outro intervém: "Posso acompanhar você até lá". Uma sensação de alívio cai sobre o turista. Ele chegará ao destino em paz, pois será guiado por quem conhece o caminho.

Na passagem de hoje, Jesus nos ensina a viver no reino. A exemplo da situação do turista, viver com Jesus é ser guiado até em casa. Antes da crucificação, Jesus explicou aos discípulos o que estava acontecendo. Tomé, ainda que se esforçasse para entender, teve dificuldade para visualizar como seria possível seguir Jesus sem instruções: "Não sabemos para onde o Senhor vai. Como podemos conhecer o caminho?". A resposta de Jesus é reveladora, tão marcante que se tornou um clássico bíblico: "Eu sou o caminho, a verdade e a vida. Ninguém pode vir ao Pai senão por mim".

Quanta profundidade. Aprendemos que viver com Jesus não é saber cada passo do trajeto, mas é, isto sim, seguir fielmente aquele que é o caminho. Se ele é o caminho, não importa o terreno que atravessemos, sabemos que chegaremos a salvo. Nosso chamado na fé é de confiança e dependência. Muitas vezes o seguidor de Cristo não sabe por quais lugares passará, mas nossa alegre confissão é que conhecemos aquele que sabe. Ter Jesus no comando nos abençoa com tranquilidade e alívio.

Quando Jesus diz que é o caminho, significa que ele é nosso caminho exclusivo para o perdão dos pecados, a salvação e a comunhão eterna com Deus. Nenhuma direção determinada por seres humanos nos levará até lá. Crer em Jesus como Senhor e Salvador é a única maneira de ter acesso a Deus. E, quando entendemos que o Senhor é o "caminho", também fica claro que ele é a "verdade" e a "vida". Se Jesus é o único Deus e o único caminho para o Pai, então ele também é, por natureza, a verdade definitiva do universo e a única fonte de vida eterna. Fora de Jesus, qualquer outra promessa de libertação é enganosa. Apenas Cristo, o Rei do universo, é o caminho e o guia, a fonte de paz e a verdade. Ele é a única direção de que precisamos.

Oração

Querido Jesus, reconheço que tu és o caminho, a verdade e a vida. Hoje, com gratidão, recordo que tu possibilitaste que eu tenha um relacionamento com meu Pai celestial. Eu te louvo e te agradeço por isso. Perdoa-me por ter me desviado por outros caminhos. Minha oração é que eu seja restaurado, e peço-te que me direciones e me faças perseverar. Obrigado por tua imensa e envolvente graça. Em teu nome. Amém.

Anotações

> A melhor medida de uma vida espiritual
> não são os êxtases, mas a obediência.
> Oswald Chambers

DIA 7

Eu sou a videira verdadeira

JOÃO 15.1-5

[Jesus disse:] "Eu sou a videira verdadeira, e meu Pai é o lavrador. Todo ramo que, estando em mim, não dá fruto, ele corta. Todo ramo que dá fruto, ele poda, para que produza ainda mais. Vocês já foram limpos pela mensagem que eu lhes dei. Permaneçam em mim, e eu permanecerei em vocês. Pois, assim como um ramo não pode produzir fruto se não estiver na videira, vocês também não poderão produzir frutos a menos que permaneçam em mim. Sim, eu sou a videira; vocês são os ramos. Quem permanece em mim, e eu nele, produz muito fruto. Pois, sem mim, vocês não podem fazer coisa alguma".

Devocional

Ao analisar as afirmações de Jesus sobre quem ele é, adquirimos uma impressionante visão do caráter de Deus. Jesus é nosso provedor, e nos nutre espiritualmente. Ele é a luz em nossa escuridão. É nosso protetor e guardião, o pastor amoroso, nosso guia. É a fonte da ressurreição, a razão pela qual vencemos. É o único caminho para o Pai, aquele que dá sentido a todas as coisas.

Na iminência da cruz, Jesus recorre a uma antiga imagem judaica para explicar aos discípulos que somente enraizando a vida nele eles poderiam frutificar. Eis sua última declaração "Eu Sou": "Eu sou a videira verdadeira, e meu Pai é o lavrador". A natureza foi criada cuidadosamente por Deus, e ele é aquele que nos cultiva diligentemente e nos possibilita o crescimento.

Jesus continua: "Todo ramo que, estando em mim, não dá fruto, ele corta. Todo ramo que dá fruto, ele poda, para que produza ainda mais". Note que todo ramo será ou cortado ou podado. Os que são displicentes na fé, proferindo com a boca mas produzindo pouco, serão cortados, enquanto os que levam Jesus a sério crescerão ainda mais.

Quando diz: "Vocês já foram limpos pela mensagem que eu lhes dei", Jesus chama atenção para sua poderosa e totalmente suficiente obra de salvação. A obra singular de Cristo na cruz purifica todos os pecados daquele que crê, e então nada o separará do amor de Deus. Em João 10.4, Jesus nos lembra que somente permanecendo ligados a ele podemos produzir frutos significativos. "Permaneçam em mim, e eu permanecerei em vocês. Pois, assim como um ramo não pode produzir fruto se não estiver na videira, vocês também não poderão produzir frutos a menos que permaneçam em mim." Permanecendo em Cristo, permitimos que sua vida abundante flua, e aquilo que fazemos passa a ter valor eterno.

Jesus diz: "Eu sou a videira; vocês são os ramos. Quem permanece em mim, e eu nele, produz muito fruto. Pois, sem mim, vocês não podem fazer coisa alguma". A produção de frutos é o objetivo do ramo, mas não sua responsabilidade. Somos chamados a frutificar, mas não damos frutos sozinhos. Com Jesus, porém, cumprimos naturalmente nosso chamado e levamos uma vida com peso na eternidade. Se você deseja crescer na fé resiliente, ancore-se nas Escrituras, pois elas revelam Jesus, e quanto mais o conhecemos, mais confiamos.

Oração

Amado Senhor Jesus, obrigado por todas as tuas promessas. Tu produzes crescimento e frutos em minha vida quando permaneço em ti. Ajuda-me a me apegar cada vez mais a ti. Desejo ouvir tua voz e ser obediente àquilo que pedes que eu faça. Ora para que me tornes produtivo e me concedas a graça de compartilhar teu grande amor com os outros. Em teu santo nome. Amém.

Anotações

DECLARAÇÃO "JESUS É O SENHOR"

Esta é uma declaração de encorajamento. As palavras que dizemos influenciam nossa vida. Por isso, oramos para que, ao declarar estas verdades bíblicas, o senhorio de Jesus Cristo sobre sua vida seja real.

Eu declaro o senhorio de Jesus Cristo sobre minha vida.
Jesus, tu és meu Senhor.
Ocupa teu lugar de direito, no centro de minha vida, no trono de meu coração.

Jesus, tu és minha rocha e meu refúgio.
Em ti edificarei minha vida.

Declaro que sou um cidadão do reino dos céus.
Declaro que és o Rei de meu coração, soberano sobre toda a minha vida.

Tu és Senhor sobre meu trabalho.
Tu és Senhor sobre meus relacionamentos.
Tu és Senhor sobre o mundo inteiro.

Declaro que minha identidade está em ti.
Sou filho do Rei.
E declaro que sou um filho amado de Deus.

Fui criado à tua imagem e semelhança.
Declaro que minha vida tem um propósito.
Minha vida é importante para Deus.
Tenho dignidade e valor, como filho do Altíssimo.

Senhor, quero ser governado por ti.
Reina sobre minha vida, dirige meu caminho e guia meus passos hoje.
Em nome de Jesus. Amém.

Ouça a meditação "O Bom Pastor do sono"

SEMANA 1 2 3 4

Vivendo o caráter de Deus

> Poucas coisas adornam e embelezam mais a profissão de fé cristã do que exercitar e manifestar o espírito de paz.
> A. W. Pink

DIA 1

Paz e paciência

TIAGO 1.1-4

Eu, Tiago, escravo de Deus e do Senhor Jesus Cristo, envio esta carta às doze tribos espalhadas pelo mundo. Saudações. Meus irmãos, considerem motivo de grande alegria sempre que passarem por qualquer tipo de provação, pois sabem que, quando sua fé é provada, a perseverança tem a oportunidade de crescer. E é necessário que ela cresça, pois quando estiver plenamente desenvolvida vocês serão maduros e completos, sem que nada lhes falte.

Devocional

Você já viu aquele velho adesivo de carro que diz: "Seja paciente! Deus ainda não terminou de trabalhar em mim"? A ideia é mesmo engraçada, mas também revela algo a respeito das expectativas humanas. Observe como a frase não exige coisa alguma do motorista e transfere sutilmente o fardo da paciência para a pessoa atrás dele. Paciência é algo que todos desejamos dos outros, mas que raramente trabalhamos em nós mesmos. Não gostamos de esperar ou ser incomodados, especialmente em um mundo habituado à gratificação instantânea.

Paciência é a capacidade de tolerar atrasos, suportar dificuldades ou mostrar tolerância. Não é uma característica com a qual nascemos ou que recebemos instantaneamente no momento da salvação. É um fruto do Espírito, e todos nós sabemos que leva tempo para um fruto crescer. Paciência é uma forma de demonstrar o amor de Deus às pessoas. Sem ela, nunca nos tornaremos os pacificadores que Jesus nos chamou para ser.

Muitas vezes, as dificuldades que enfrentamos constituem o ímpeto para que a paciência cresça dentro de nós. Por isso Tiago afirma: "Meus irmãos, considerem motivo de grande alegria sempre que passarem por qualquer tipo de provação, pois sabem que, quando sua fé é provada, a perseverança tem a oportunidade de crescer. E é necessário que ela cresça, pois quando estiver plenamente desenvolvida vocês serão maduros e completos, sem que nada lhes falte". Embora os problemas não sejam em si mesmos motivo de alegria, ainda podemos nos alegrar porque Deus os usa em nossa vida para produzir algo bom.

Paciência é um ato de fé. Você acredita que pode esperar em Deus enquanto ele trabalha mais em você? Deus é confiável. Jesus confiou em seu Pai durante provações e até a morte, e você e eu também podemos confiar nele. Hoje, portanto, respire fundo. Deixe o Senhor fazer sua obra. E peça ao Espírito Santo que aumente a paciência dentro de você.

Oração

Amado Deus e Pai, confesso que muitas vezes fico impaciente e desejo que tu respondas de imediato às minhas orações. Ajuda-me a edificar em Cristo meu caráter e a entender que, se tu ainda não respondeste à minha oração, é porque tens um caminho melhor e um plano melhor para minha vida. Eleva minha mente e meus pensamentos a Cristo para que colhas de mim o fruto da paciência. Em nome de Jesus. Amém.

Anotações

> Uma autêntica vida cristã, paciente, gentil, bondosa, pura [...]
> é um pequeno evangelho, anunciando em sermões sem palavras
> a maravilhosa história da cruz de Cristo.
>
> J. R. Miller

DIA 2

Bondade

EFÉSIOS 4.25-32

Portanto, abandonem a mentira e digam a verdade a seu próximo, pois somos todos parte do mesmo corpo. E "não pequem ao permitir que a ira os controle". Acalmem a ira antes que o sol se ponha, pois ela cria oportunidades para o diabo. Quem é ladrão, pare de roubar. Em vez disso, use as mãos para trabalhar com empenho e honestidade e, assim, ajudar generosamente os necessitados. Evitem o linguajar sujo e insultante. Que todas as suas palavras sejam boas e úteis, a fim de dar ânimo àqueles que as ouvirem. Não entristeçam o Espírito Santo de Deus, o selo que ele colocou sobre vocês para o dia em que nos resgatará como sua propriedade. Livrem-se de toda amargura, raiva, ira, das palavras ásperas e da calúnia, e de todo tipo de maldade. Em vez disso, sejam bondosos e tenham compaixão uns dos outros, perdoando-se como Deus os perdoou em Cristo.

Devocional

À medida que aprendemos a seguir Jesus, constatamos que há coisas velhas que precisamos remover de nossa vida, e coisas novas que precisamos inserir em nosso pensamento, caráter e atitudes, conforme nos mostra Paulo repetidas vezes em suas cartas. As ações erradas devem ser abandonadas, sim, mas perspectivas e ímpetos errados também devem sair de nosso coração.

Na passagem de hoje, Paulo está usando o mais simples dos termos para ilustrar o que devemos fazer quanto a determinadas atitudes. Ele diz que cada um de nós deve abandonar a mentira, o furto, as palavras torpes, entre outros elementos. "Abandonar" significa eliminar ou remover. O modo de vida do ódio, do rancor, da amargura e do ciúme configura as roupas velhas e sujas que usávamos antes de conhecer Jesus e entregar a ele nossa vida. Agora, após sermos tocados por sua graça, devemos ser transformados. Essas coisas, diz Paulo, são as que tornam a vida infeliz ou miserável. Mas Jesus tem novidades para nós: as vestes da bondade e da compaixão.

Portanto, o primeiro passo para experimentar o que Deus deseja para nós é reconhecer que nosso ser natural vem revestido de um "estilo de vida" que deve ser abandonado. O segundo passo é reconhecer as possibilidades maravilhosas de uma nova vida. Nós, cristãos, podemos levar bondade a um mundo embriagado pela competição e pela inveja. Podemos levar amor a um mundo tomado de ódio. Podemos levar alegria a um mundo marcado pelo medo. Ah, as possibilidades infinitas de uma nova vida em Cristo!

Somente os cristãos estão aptos a viver com base em um princípio totalmente diferente, uma vida de bondade enraizada em uma atitude de mente renovada. O "novo eu" é à semelhança de Deus: é a vida de Deus, é a imagem de Jesus Cristo, é a vida do Senhor por nosso intermédio. Portanto, apegue-se a Jesus e busque ser cheio do Espírito Santo mediante uma vida de oração e leitura da Palavra. Seja capacitado para uma nova vida que está disponível a todo aquele que crê.

Oração

Amado Deus e Pai celestial, quando olho para mim, para a dureza de meu coração, e quando olho para a cruz, sou impactado por tua esmagadora bondade. Concede-me uma nova atitude, a fim de que minha mente seja renovada e meu espírito sustentado por ti, por tua graça e misericórdia. Peço-te que a bondade e a compaixão sejam minhas vestes, e que o pecado seja lançado fora para que eu ande em liberdade, paz e alegria. Em nome de Jesus. Amém.

Anotações

> Faça todo o bem que puder, por todos os meios que puder, de todas as maneiras que puder, em todos os lugares que puder, em todos os momentos que puder, a todas as pessoas que puder, enquanto puder.
> John Wesley

DIA 3

Fidelidade

COLOSSENSES 4.7-15

Tíquico, irmão amado e colaborador fiel que trabalha comigo na obra do Senhor, lhes dará um relatório completo de como tenho passado. Eu o envio a vocês exatamente com o propósito de informá-los do que se passa conosco e de animá-los. Envio também Onésimo, irmão fiel e amado, que é um de vocês. Ele e Tíquico lhes contarão tudo que tem acontecido aqui. Aristarco, que é prisioneiro comigo, lhes envia saudações, e assim também Marcos, primo de Barnabé. Conforme vocês foram instruídos, se Marcos passar por aí, recebam-no bem. Jesus, chamado Justo, também manda lembranças. Esses são os únicos irmãos judeus entre meus colaboradores. Eles trabalham comigo para o reino de Deus e têm sido um grande conforto para mim. Epafras, que é um de vocês e servo de Cristo Jesus, lhes envia saudações. Ele sempre ora por vocês com fervor, pedindo que sejam maduros e plenamente confiantes de que praticam toda a vontade de Deus. Posso lhes assegurar que ele tem se esforçado grandemente por vocês e pelos que estão em Laodiceia e em Hierápolis. Lucas, o médico amado, lhes envia saudações, assim como Demas. Mandem minhas saudações a nossos irmãos em Laodiceia, e também a Ninfa e à igreja que se reúne em sua casa.

Devocional

Cada palavra das Escrituras é proveitosa para a instrução e o crescimento espiritual. Não é diferente com a passagem de hoje. Trata-se das saudações e instruções finais de Paulo no encerramento de sua carta à igreja em Colossos. Embora uma lista de nomes possa não parecer, a princípio, fonte de revelação, encontramos aqui um elemento essencial da vida de Paulo: ele vivencia e cumpre seu ministério cercado de amigos, um grupo de cristãos comprometidos e fiéis. As pessoas que Paulo menciona são exemplos de servos fiéis de Deus.

Por exemplo, Tíquico, mencionado nos versículos 7 e 8, foi quem levou a carta de Paulo de Roma a Colossos, visto que o apóstolo se achava na prisão. A distância entre as duas cidades era de cerca de 1.500 quilômetros. Para Tíquico, porém, essa viagem foi muito mais longa, pois teve de navegar pela Itália e cruzar o mar Mediterrâneo antes de viajar pela Ásia Menor a pé. Certamente foi uma viagem na qual correu risco de vida. Ainda assim, suportou fielmente as adversidades para levar a carta de Paulo aos colossenses e, por extensão, a nós, uma vez que a epístola viria a ser incluída no Novo Testamento.

Onésimo, citado no versículo 9, exemplifica uma vida transformada por Cristo. Ele foi um escravo fugitivo que se tornou um dos amigos mais queridos de Paulo. Epafras, citado nos versículos 12 e 13, era conhecido como um intercessor fiel da igreja em Colossos, que orava para que todos os irmãos e irmãs na fé chegassem à maturidade em Cristo. Lucas, o autor do Evangelho, viajou com Paulo e perseverou com o apóstolo até a prisão. E uma mulher de Deus chamada Ninfa é reconhecida pela hospitalidade ao abrir sua casa como ponto de encontro para que os cristãos dali se reunissem.

A passagem de hoje tem muito a nos ensinar sobre a importância da amizade. Se você deseja ter uma vida fiel, só poderá fazê-lo na companhia de amigos fiéis, pois no corpo de Cristo há provisão. Quando caminhamos juntos de quem compartilha nossa fé, somos fortalecidos. Portanto, reserve um tempo hoje e agradeça a Deus pela vida de cada pessoa que lhe dá ânimo na fé. E ore também para que você possa ser essa pessoa para alguém.

Oração

Amado Senhor Deus, meu Pai, ajuda-me a ser um servo fiel de Cristo. Dá-me coragem, confiança e convicção para ser fiel nas grandes e nas pequenas coisas. Quero ser primeiramente um amigo de Jesus, e conhecido por ti. Que minha vida seja testemunho de ti para conduzir outros à salvação que há em Cristo. Em nome de Jesus. Amém.

Anotações

A bondade de Deus é a raiz de toda bondade; e nossa bondade, se é que temos alguma, origina-se da bondade dele.
William Tyndale

DIA 4
Mostrando a bondade de Deus

GÁLATAS 6.7-10

Não se deixem enganar: ninguém pode zombar de Deus. A pessoa sempre colherá aquilo que semear. Quem vive apenas para satisfazer sua natureza humana colherá dessa natureza ruína e morte. Mas quem vive para agradar o Espírito colherá do Espírito a vida eterna. Portanto, não nos cansemos de fazer o bem. No momento certo, teremos uma colheita de bênçãos, se não desistirmos. Por isso, sempre que tivermos oportunidade, façamos o bem a todos, especialmente aos da família da fé.

Devocional

Vivemos em um mundo em que é natural e esperado que nos sintamos cansados com frequência. Além das tarefas e responsabilidades diárias que exigem nossa energia e atenção, vivemos em um mundo caído, acometido de doenças, tristezas, injustiças e dificuldades que nos afetam. Ainda que procuremos diariamente fazer o bem, até mesmo isso pode se tornar motivo de cansaço. O texto de hoje trata diretamente dessa dinâmica ao dizer que, se não desanimarmos, se não nos cansarmos de fazer o bem, no tempo certo colheremos.

Então, o que fazer quando nos exaurimos ou quando nos imaginamos incapazes de seguir em frente? A resposta é ir ao Deus que nunca se cansa e nunca desanima. Às vezes, ficamos impacientes ou carecemos de diligência para continuar a plantar o tipo certo de semente. Podemos acabar perdendo a esperança de um dia ver o fruto saudável do que fazemos. Mas Paulo nos incentiva a continuar lançando sementes de bondade, generosidade e amor. Se perseverarmos, se não nos cansarmos nem desistirmos, Deus colherá. E como todo lavrador, quando finalmente virmos a colheita, entenderemos que valeu a pena o trabalho e a espera.

Deus nos conhece e sabe como é difícil para nós continuar a fazer o bem. Por isso Paulo nos lembra da necessidade da diligência e da perseverança. Nossa tendência é desanimar e desistir se as coisas não acontecerem como ou quando achamos que deveriam. Reflita consigo: você tem sentido vontade de desistir de algo hoje? Deus quer dizer a você: "Continue! Não desista!". Continue plantando, continue regando, coloque novamente as mãos no solo e arranque o mato que estorva o crescimento de seu fruto. Não desista de fazer o que você sabe que é correto. Em última análise, confie no Deus que faz o sol brilhar e que traz o tempo de colher. Ele sabe de todas as coisas.

O inimigo mentirá para você, dizendo que suas ações não têm valor. Tentará desencorajá-lo e fazê-lo desistir. Mas não acredite na mentira. Lembre-se que o inimigo está aqui somente para roubar, matar e destruir. Persevere em fazer a coisa certa. E, acima de tudo, não desista de Deus, pois ele jamais desistirá de você.

Oração

Senhor Deus e Pai eterno, dá-me forças para concluir meu chamado. Para terminar minha corrida e permanecer firme em meu curso. Não me cansarei de fazer o bem aos outros, mesmo que não veja o fruto de minha fidelidade, nem a colheita das sementes que planto. Confio em ti e quero continuar vivendo para colher frutos na eternidade. Em nome de Jesus. Amém.

Anotações

A presença de Deus é suficiente, não só para eliminar toda ansiedade e todo medo, mas também para dar consolação e sólida alegria.
John Owen

DIA 5

Vivendo com alegria

1PEDRO 1.3-9

Todo louvor seja a Deus, o Pai de nosso Senhor Jesus Cristo. Por sua grande misericórdia, ele nos fez nascer de novo, por meio da ressurreição de Jesus Cristo dentre os mortos. Agora temos uma viva esperança e uma herança imperecível, pura e imaculada, que não muda nem se deteriora, guardada para vocês no céu. Por meio da fé que vocês têm, Deus os protege com seu poder até que recebam essa salvação, pronta para ser revelada nos últimos tempos. Portanto, alegrem-se com isso, ainda que agora, por algum tempo, vocês precisem suportar muitas provações. Elas mostrarão que sua fé é autêntica. Como o fogo prova e purifica o ouro, assim sua fé está sendo experimentada, e ela é muito mais preciosa que o simples ouro. Isso resultará em louvor, glória e honra no dia em que Jesus Cristo for revelado. Embora nunca o tenham visto, vocês o amam. E, ainda que não o vejam agora, creem nele e se regozijam com alegria inexprimível e gloriosa, pois estão alcançando o alvo de sua fé, a sua salvação.

Devocional

Você está passando por alguma dificuldade? Talvez esteja enfrentando uma provação tão intensa que se pergunte se ao menos conseguirá sobreviver. Ou talvez esteja preocupado com uma adversidade específica que se prolonga há tanto tempo e parece não haver nenhuma previsão de fim. Ou quem sabe se trate dos pequenos problemas e das pequenas tensões do dia a dia que desgastam você e lhe roubam o ânimo. É justamente nesses momentos que notamos como é fácil perder a alegria. Graças ao Senhor e à Bíblia inspirada pelo Espírito Santo, encontramos palavras como as de Pedro na passagem de hoje que oferecem uma visão para nos ajudar a recuperar a esperança e a alegria, possibilitando que amemos verdadeiramente as pessoas.

Nos versículos que lemos, somos lembrados de duas coisas. Em primeiro lugar, Deus nos reservou uma herança no céu, uma herança imperecível, pura e imaculada. Por isso, devemos erguer os olhos para o alto, em vez de nos focarmos em questões terrenas. Se depositarmos toda a nossa esperança nesta vida, as provações nos levarão continuamente ao desespero. Mas, como filhos de Deus, temos uma herança que supera em muito qualquer sofrimento temporal.

Em segundo lugar, Deus está no controle de nossas provações. Nenhuma dor que enfrentamos é desperdiçada. Nosso amoroso Pai garante que as tribulações cumprirão seu propósito singular para cada um de nós, seus filhos. Ele é soberano sobre todas as adversidades, e também é soberano sobre a duração de cada uma delas, que nada são comparadas à eternidade, quando experimentaremos alegria completa e infindável na presença de Deus.

De alguma forma, essas duas realidades, a herança eterna que nos espera e a força que cresce em nós por meio das provações, fazem brotar em nosso coração uma destemida alegria. Começamos a sorrir novamente enquanto atravessamos a dor. Foi assim com Jesus, que suportou a cruz porque contemplou a alegria que estava à frente. O que quer que você esteja enfrentando hoje, volte seu olhar para o céu. Deus tem um futuro para você, e ele é repleto de alegria.

Oração

Amado Senhor Deus, venho hoje em tua presença pedir pela alegria que vem de ti, pois tua alegria é minha força. Em tua presença encontro delícias sem fim. Assim, clamo por tua paz e a ela me apego, Pai. Não permitas que ela me deixe, pois é tudo de que preciso. Obrigado pela viva esperança que há para mim em Cristo. Em nome de Jesus. Amém.

Anotações

> Como é o amor? Tem mãos para ajudar os outros. Tem pés para apressar-se na direção dos pobres e necessitados. Tem olhos para ver a miséria e a carência. Tem ouvidos para ouvir os suspiros e as tristezas dos homens. Assim é o amor.
>
> Agostinho de Hipona

DIA 6

Amando verdadeiramente

1CORÍNTIOS 13.1-8

Se eu falasse as línguas dos homens e dos anjos, mas não tivesse amor, seria como um sino que ressoa ou um címbalo que retine. Se eu tivesse o dom de profecias, se entendesse todos os mistérios de Deus e tivesse todo o conhecimento, e se tivesse uma fé que me permitisse mover montanhas, mas não tivesse amor, eu nada seria. Se desse tudo que tenho aos pobres e até entregasse meu corpo para ser queimado, e não tivesse amor, de nada me adiantaria. O amor é paciente e bondoso. O amor não é ciumento, nem presunçoso. Não é orgulhoso, nem grosseiro. Não exige que as coisas sejam à sua maneira. Não é irritável, nem rancoroso. Não se alegra com a injustiça, mas sim com a verdade. O amor nunca desiste, nunca perde a fé, sempre tem esperança e sempre se mantém firme. Um dia, profecia, línguas e conhecimento desaparecerão e cessarão, mas o amor durará para sempre.

Devocional

Na língua portuguesa, a palavra amor contém muitos significados. Podemos usá-la para nos referir a paixões triviais, como o amor pelo esporte, ou para expressar o sentimento romântico de estar apaixonado. No entanto, se desejamos compreender o que o amor de fato é, devemos entender a definição de amor dada por Deus. No Novo Testamento, existem quatro termos gregos diferentes usados para a palavra amor, e a forma mais elevada é denominada ágape. Ela diz respeito ao "amor paterno de Deus". A palavra ágape é usada mais de cem vezes na Bíblia, aparecendo com mais frequência em 1Coríntios, na passagem que lemos hoje.

Ao longo do capítulo 13, Paulo discorre sobre diversas características do amor. Ele menciona, por exemplo, que "o amor nunca desiste". Isto é, o amor permanece firme mesmo sob dificuldades ou provações, carregando seus fardos com calma e bravura. O apóstolo também declara que o amor "nunca perde a fé", pois deposita confiança no outro. Não se trata de "torcer" por alguém. O amor que tudo crê escolhe pensar o melhor de alguém, em vez de olhar para o pior.

Em seguida, vemos que o amor "sempre tem esperança". Deus nos enche de ânimo e confiança, antecipando a vitória que temos nele, quaisquer que sejam as imperfeições em nós que ainda precisam ser tratadas. O amor genuíno tem fé no poder de Deus para transformar uma vida. E, ao afirmar que o amor "sempre se mantém firme", Paulo mostra que o verdadeiro amor cobre o erro com o silêncio. Em vez de expor as faltas ou o pecado de outra pessoa, o amor ágape é um porto seguro que protege da exposição e da vergonha aquele que pecou.

Diariamente somos convidados a desenvolver nossa fé e crescer no fruto do Espírito Santo. Para isso, temos o privilégio de contar com um Deus que sabe que não conseguiríamos trilhar esse caminho sozinhos. Esse amor só pode ser desenvolvido em nós pelo próprio Deus. Se o Espírito está trabalhando em nós, o amor ágape florescerá, como o fruto de uma árvore plantada às margens do rio. Se você permitir que suas raízes sejam plantadas na pessoa e obra de Jesus Cristo, o fruto do amor de Deus surgirá!

Oração

Senhor Deus e Pai santo, nós amamos somente porque tu nos amaste primeiro. Grava em mim teu amor de tal modo que todas as pessoas com que eu me encontrar pelo caminho possam enxergá-lo, seja por meio de minhas palavras, seja por meio de minhas ações. Teu amor é minha âncora e minha esperança. A ti me apegarei nos bons e nos maus momentos. Em nome de Jesus. Amém.

Anotações

> A santidade é o lado visível da salvação.
> Charles H. Spurgeon

DIA 7

Desenvolvendo o caráter

PROVÉRBIOS 10.9-10

Quem anda em integridade anda em segurança; quem segue caminhos tortuosos será exposto. Quem fecha os olhos para a maldade causa problemas, mas a repreensão clara promove a paz.

Devocional

Não se engane: como cristãos, é fácil fazer concessões de caráter. Por exemplo, quando queremos desesperadamente que os outros nos considerem inteligentes, capazes e bem-sucedidos, a desonestidade pode rapidamente tornar-se um hábito. No entanto, Provérbios 10.9 se refere a esse comportamento como "seguir caminhos tortuosos" e adverte contra ele. Em contrapartida, "quem anda em integridade anda em segurança", isto é, o caminho da integridade nos protege das tentações das veredas sinuosas.

A promessa de andar em segurança é algo pelo qual nosso coração anseia. Talvez imaginemos que encontraremos segurança no emprego, na aprovação de um chefe, na realização de um grande projeto. A verdadeira segurança, porém, é consequência de andar nos caminhos de Deus e sob sua proteção. Se sacrificarmos nosso caráter pela falsa segurança que o mundo oferece, logo nos decepcionaremos. Porém, se nossa segurança está em Cristo, os caminhos tortuosos deixam de ser atrativos e perdem seu encanto.

As oportunidades que temos para desenvolver o caráter muitas vezes passam pelo teste da integridade, nas pequenas e nas grandes coisas. Nossa história nunca será perfeita, pois somente Jesus andou por este mundo sem pecar. No entanto, Deus derrama sua graça abundante para nos ajudar no caminho e nos fazer mais semelhantes a Cristo. O Senhor nos deu o Espírito Santo para nos inspirar e fortalecer quando somos tentados a mentir, a enganar ou a agir de qualquer outra forma que desonre a Deus e não condiga com o caráter que ele deseja desenvolver em nós.

O Espírito Santo opera por nosso intermédio com seu poder a fim de que enfrentemos corajosamente as consequências de dizer a verdade e agir de forma íntegra. A luta para ser uma pessoa que reflete a luz de Cristo nos mantém humildes, pois ela revela todas as nossas fraquezas, o que pode ser doloroso. Alcançar a verdadeira humildade tem um custo, mas é um custo que com toda a certeza vale a pena pagar, pois é o que mantém nosso coração no lugar certo, alinhado ao coração de Deus.

Devemos sempre lembrar que nosso caráter é infinitamente mais importante para Deus do que nossas realizações neste mundo, e é certamente mais importante do que as opiniões de outras pessoas sobre quem somos. Com isso em mente, atentemos para nosso caráter tendo os olhos na eternidade, e busquemos desenvolvê-lo, de graça em graça, à semelhança de Cristo.

Oração

Amado Senhor Jesus, ajuda-me a aprender de ti e forja em minha vida teu caráter. Ajuda-me a também ser modelo de teu amor pelas pessoas. Que eu me conduza em plenitude de vida, sabendo que em ti encontro a verdadeira alegria e satisfação. Preciso que desenvolvas em mim o caráter de Cristo, pois não posso fazê-lo sozinho. Dá-me força, Deus, e coragem e capacidade de viver por ti, quaisquer que sejam as dificuldades à frente. No precioso nome de Jesus. Amém.

Anotações

TENHA SEDE DE DEUS

As verdadeiras bênçãos nesta vida vêm do reconhecimento de nossas fraquezas, quando demonstramos vulnerabilidade e vivemos mansamente. Esse é um caminho raramente percorrido em nossa sociedade, mas é extremamente digno de nosso investimento e aplicação. Jesus afirma que esse é o caminho para a paz, a cura e a restauração de nossa alma.

Seguir Jesus e descobrir a completude disponível nele não é uma busca passiva. Em um mundo que disputa nossa atenção todo o tempo, encontrar a paz por meio da vivência nos caminhos do Senhor não é algo que acontecerá "acidentalmente". Precisamos ser intencionais a esse respeito.

Em Mateus 5.6, Jesus deixa claro que são "felizes os que têm fome e sede de justiça, pois serão saciados".

Nós, seres humanos, somos constantemente dirigidos por nosso estômago. Quando o corpo nos comunica que está com fome ou sede, é inevitável que procuremos comer ou beber. Essa busca se torna a prioridade, independentemente das outras atividades em que estivermos envolvidos naquele momento.

Fome e sede são necessidades básicas que nos impelem a agir. Jesus nos encoraja a ter a mesma reação quando se trata de viver segundo sua justiça. Aqueles com fome e sede de justiça reconhecem que Deus é a verdadeira fonte a ser buscada a fim de que seu caráter seja formado neles. Buscam a Deus calorosamente, reconhecendo que sempre há mais dele para conhecer, e se dedicam a refleti-lo para um mundo que carece de seu amor. Com isso, descobrem que eles mesmos são plenos, e enxergam propósito e significado em tudo o que fazem.

Decidir viver do jeito de Jesus é o caminho mais rápido para a satisfação duradoura. Ao longo deste dia, o que você pode fazer para que o caráter de Deus brilhe através de sua vida?

Ouça o poema "Voz de Deus"

SEMANA

De volta ao princípio

> Tu nos fizeste para ti, Senhor, e nosso coração
> não encontra repouso até que descanse em ti.
> Agostinho de Hipona

DIA 1

Nossa história de origem

GÊNESIS 1.1-3

No princípio, Deus criou os céus e a terra. A terra era sem forma e vazia, a escuridão cobria as águas profundas, e o Espírito de Deus se movia sobre a superfície das águas. Então Deus disse: "Haja luz", e houve luz. E Deus viu que a luz era boa, e separou a luz da escuridão. Deus chamou a luz de "dia" e a escuridão de "noite".

Devocional

Voltamos hoje nossa atenção para as palavras de abertura de toda a Bíblia. "No princípio." Aqui começa a história da humanidade, e aqui somos apresentados ao Deus espetacular que amorosamente orquestrou tudo o que existe por meio de sua palavra!

A distância temporal e cultural entre nós e os textos históricos do Antigo Testamento pode nos levar a ignorar ou mesmo evitar as Escrituras mais antigas. Acabamos nos concentrando no Novo Testamento porque, de alguma forma, é mais fácil nos identificarmos com suas mensagens. No entanto, desafiaremos gentilmente essa ideias nos próximos dias, mergulhando em passagens do início das Sagradas Escrituras. Refletiremos sobre o fato de que o Antigo Testamento é tão relevante e transformador hoje quanto sempre foi. E mais: consideraremos como nosso entendimento de Jesus Cristo, a pedra angular de nossa fé, e de nossa própria identidade é aprofundado à medida que lemos esses textos. Devemos prestar a devida atenção ao Antigo Testamento!

Como quer que estejam sendo seus dias, separe um tempo para fazer uma pausa e concentrar-se nesta realidade: há um Deus que sempre existiu, antes do início de nosso universo. Esse Deus é o Criador de tudo o que vemos, inclusive de nós mesmos. A grandeza dessa perspectiva pode nos causar estranheza, mas ela é profundamente reconfortante. O livro de Gênesis celebra de forma retumbante aquele que criou todas as coisas.

Podemos confiar nesse entendimento de que Deus nos criou no início e nos amou desde a fundação do mundo. Consequentemente, isso significa que temos uma identidade certa, um valor inabalável e um propósito real em nossa vida. Tudo gira em torno de nosso relacionamento com esse Deus. Em suma, se Deus criou o mundo, nós existimos por uma razão: para conhecê-lo. Foi esse o princípio que inspirou Agostinho de Hipona a escrever: "Tu nos fizeste para ti, Senhor, e nosso coração não encontra repouso até que descanse em ti".

Deus criou os céus e a terra. Ele é o motivo pelo qual estamos aqui. Gênesis é, portanto, um livro imensamente valioso para nós porque celebra esse Deus e desvenda nossa história de origem — a mesma história da qual, ainda hoje, fazemos parte como cristãos. Lembre-se que, independentemente do que venha em sua direção hoje, você tem um propósito: viver para conhecer e glorificar o Deus que nos criou.

Oração

Querido Deus e Pai, faço das palavras de Agostinho minha mais sincera oração: "Tu nos fizeste para ti, Senhor, e nosso coração não encontra repouso até que descanse em ti". Ajuda-me a descansar em ti hoje e a cada dia. Que tu sejas meu verdadeiro refúgio, em quem encontro todo o meu prazer. Em nome de Jesus. Amém.

Anotações

> Tão somente na mão humana já há evidências suficientes de habilidade suprema para provar a existência, inteligência e benevolência de Deus.
>
> A. B. Simpson

DIA 2

A origem do mundo

GÊNESIS 1.9-13

Então Deus disse: "Juntem-se as águas que estão debaixo do céu num só lugar, para que apareça uma parte seca". E assim aconteceu. Deus chamou a parte seca de "terra" e as águas de "mares". E Deus viu que isso era bom. Então Deus disse: "Produza a terra vegetação: toda espécie de plantas com sementes e árvores que dão frutos com sementes. As sementes produzirão plantas e árvores, cada uma conforme a sua espécie". E assim aconteceu. A terra produziu vegetação: toda espécie de plantas com sementes e árvores que dão frutos com sementes. As sementes produziram plantas e árvores, cada uma conforme a sua espécie. E Deus viu que isso era bom. A noite passou e veio a manhã, encerrando o terceiro dia.

Devocional

Nesta semana estamos contemplando nossas origens. Você já percebeu que toda boa série cinematográfica tem uma história de origem cativante? Tente relembrar a história de origem de seu conto favorito. O que a torna tão convincente? Em geral, gostamos dessas histórias porque elas nos fornecem o contexto básico e os detalhes relevantes dos personagens a fim de que entendamos melhor a narrativa como um todo.

Gênesis não é diferente. O livro estabelece nossa história de origem e introduz o protagonista de toda a Bíblia: o único Deus verdadeiro do universo. Os primeiros versos das Escrituras são simples e sucintos, mas estabelecem o contexto e o alicerce teológico para compreendermos o amplo propósito de Deus. Quando lemos atentamente, vemos que o início de Gênesis estabelece de forma enfática o cenário para o restante das Escrituras, e esse cenário não pode passar despercebido. De fato, muito do que segue não faz sentido sem uma reflexão profunda sobre o princípio de todas as coisas.

Nossa passagem de hoje retrata o terceiro dia da criação. Cada um dos seis primeiros dias da narrativa de Gênesis flui de forma semelhante, usando frases formuladas com o intuito de nos ajudar a acompanhar os acontecimentos. Essas Escrituras relatam a criação da natureza levando a seu ponto culminante, a criação da humanidade. Luz e escuridão, mar, céu e terra fértil são todos estabelecidos antes que cada um seja preenchido com a magnífica criatividade de Deus. Dia e noite recebem seus respectivos marcos, o sol e a lua. O mar e o céu são coloridos com peixes e pássaros. A terra fértil é coberta com animais terrestres e, finalmente, com os seres humanos. Uma cena impressionante retrata a perfeita beleza e diversidade de nosso planeta para, em seguida, estabelecer nossa responsabilidade crítica de cuidar dele. Não foi uma criação descuidada, mas um projeto inteligente. Algo que merece profundo carinho. Deus viu que era bom! Estar atento à origem de nosso planeta nos informa como tratá-lo e nos ensina seu valor. Você já havia pensado nisso?

Ao abraçar o dia de hoje, pondere como tudo foi criado pelo poder da palavra de Deus. Que pensamento impressionante! Enquanto Deus falava, as coisas aconteciam. Levante seus olhos e observe seu mundo; procure cuidadosamente a beleza que há nele e maravilhe-se intencionalmente com o Deus que o criou. Contemple! Se Deus pôde criar o universo com uma simples palavra, imagine como ele é capaz de cuidar de você.

Oração

Senhor Deus e Pai, eu te louvo por tua tão bela criação. Toda a natureza revela tua glória e teu cuidado conosco. Obrigado por tamanho amor! Ajuda-me a agir e a cuidar de tudo e todos ao meu redor de forma que honre teu nome. Ajuda-me também a sempre dar-te graças ao vislumbrar a revelação de tua glória na natureza. Em nome de Jesus. Amém.

Anotações

> Há um vácuo do tamanho de Deus no coração de cada homem que não pode ser preenchido por coisa alguma da criação, somente por Deus, o Criador, que se fez conhecido por meio de Jesus.
>
> Blaise Pascal

DIA 3

A origem da humanidade

GÊNESIS 1.26-31

Então Deus disse: "Façamos o ser humano à nossa imagem; ele será semelhante a nós. Dominará sobre os peixes do mar, sobre as aves do céu, sobre os animais domésticos, sobre todos os animais selvagens da terra e sobre os animais que rastejam pelo chão". Assim, Deus criou os seres humanos à sua própria imagem, à imagem de Deus os criou; homem e mulher os criou. Então Deus os abençoou e disse: "Sejam férteis e multipliquem-se. Encham e governem a terra. Dominem sobre os peixes do mar, sobre as aves do céu e sobre todos os animais que rastejam pelo chão". Então Deus disse: "Vejam! Eu lhes dou todas as plantas com sementes em toda a terra e todas as árvores frutíferas, para que lhes sirvam de alimento. E dou todas as plantas verdes como alimento a todos os seres vivos: aos animais selvagens, às aves do céu e aos animais que rastejam pelo chão". E assim aconteceu. Então Deus olhou para tudo que havia feito e viu que era muito bom.

Devocional

Se a Bíblia fosse uma sequência cinematográfica, Gênesis 1 seria o prelúdio do prelúdio, apresentando toda informação possível a fim de nos ajudar a entender melhor os acontecimentos posteriores e, em última análise, nossa própria vida. Os primeiros capítulos das Escrituras, nossa história de origem, nos ensinam essencialmente sobre quem Deus é e, portanto, sobre quem nós somos. São revelações profundas, e se essa sequência de fatos fosse ignorada, perderíamos informações formativas fundamentais para nossa fé e a mensagem do evangelho.

Já vimos que Deus é apresentado como o Criador eterno. Refletimos sobre a narrativa de origem de nosso planeta, observando que ele representa um Deus bom, lógico e criativo. Um mundo que revela a glória de seu Criador e que deve ser valorizado apesar da queda que ocorre logo em seguida. Na leitura de hoje alcançamos o momento mais significativo da história até agora: a criação final e mais amada de Deus, o ser humano. Não se trata de uma afirmação soberba, mas de um testemunho coerente das Escrituras e da mensagem inconfundível da obra de Cristo na cruz. Nós, seres humanos, somos a coroação da criação de Deus. Ainda que falhemos repetidamente por causa do pecado, a verdade é que Deus nos criou como sua obra-prima, à sua imagem sagrada e com um propósito único.

A passagem de hoje está repleta de profundidade teológica, mais do que somos capazes de abordar aqui. Os versos lidos são fundamentais para nossa compreensão do valor humano. O fato de que nós, homens e mulheres, fomos feitos à imagem de Deus nos diferencia dos animais e estabelece o valor incomparável da vida humana. Além disso, testificamos que toda vida tem um sentido. Como portadores da imagem de Deus, somos chamados a exercer domínio sobre o planeta juntamente com Deus, administrando seus recursos com prudência e zelo.

Nós somos, por natureza, valorosos simplesmente porque nosso Criador nos fez assim. Essa é uma verdade imutável a seu respeito! Na leitura de amanhã refletiremos sobre a origem do pecado, mas antes devemos apreciar o estado original da humanidade. Desde a criação fomos estimados por Deus. Esse é nosso primeiro indicador da razão pela qual Deus moveu céus e terra para nos resgatar após nossa rebelião contra ele. Deus nos amou desde o início e provou isso por meio da obra redentora de Cristo. Se você anda se sentindo sem valor, a mensagem de hoje é para você. Deus o ama. Você tem valor e foi feito à imagem dele para um propósito eterno.

Oração

Amado Deus e Pai, obrigado por teu amor. Sei que tenho valor porque sou teu e peço-te que me ajudes a conhecer meu próprio valor e também a valorizar os outros, tratando-os com respeito e bondade. Quero seguir teus mandamentos, amando-te sobre todas as coisas e a meu próximo como a mim mesmo. Em nome de Jesus. Amém.

Anotações

> O pecado original está em nós como a barba. Barbeamo-nos hoje, parecemos apresentáveis e nosso rosto está limpo; amanhã nossa barba cresce de novo, e não para de crescer enquanto permanecemos na terra. De maneira semelhante, o pecado original não pode ser extirpado de nós; ele brotará em nós enquanto vivermos.
>
> Martinho Lutero

DIA 4

A origem do pecado

GÊNESIS 3.1-7

A serpente era o mais astuto de todos os animais selvagens que o Senhor Deus havia criado. Certa vez, ela perguntou à mulher: "Deus realmente disse que vocês não devem comer do fruto de nenhuma das árvores do jardim?". "Podemos comer do fruto das árvores do jardim", respondeu a mulher. "É só do fruto da árvore que está no meio do jardim que não podemos comer. Deus disse: 'Não comam e nem sequer toquem no fruto daquela árvore; se o fizerem, morrerão'." "É claro que vocês não morrerão!", a serpente respondeu à mulher. "Deus sabe que, no momento em que comerem do fruto, seus olhos se abrirão e, como Deus, conhecerão o bem e o mal." A mulher viu que a árvore era linda e que seu fruto parecia delicioso, e desejou a sabedoria que ele lhe daria. Assim, tomou do fruto e o comeu. Depois, deu ao marido, que estava com ela, e ele também comeu. Naquele momento, seus olhos se abriram, e eles perceberam que estavam nus. Por isso, costuraram folhas de figueira umas às outras para se cobrirem.

Devocional

Nos primeiros capítulos da Bíblia, o alicerce de toda a nossa visão de mundo cristã é diligentemente estabelecido. Passamos do vazio sem forma para a ordem criada. Observamos como o Deus todo-poderoso estabeleceu a luz e a vida no lugar do vazio escuro, criando tudo de maneira perfeita para o ser humano viver e governar. Mas não podemos refletir sobre a criação sem considerar por que este mundo deixou de ser um lugar de perfeita harmonia. Vemos uma serpente chegar ao jardim e distorcer as palavras de Deus, tentando Adão e Eva. A decisão do primeiro casal de ignorar as instruções de Deus, desejando conhecer o bem e o mal por conta própria, teve consequências caóticas. O paraíso foi perdido após um ato de rebeldia, e isso é fundamental para nossa compreensão da mensagem de boas-novas de Jesus.

Você já deixou algum objeto belo e precioso cair, e observou-o espatifado pelo chão? Um objeto antes perfeito, agora destruído. Assim podemos comparar a entrada do pecado no mundo, a Queda da humanidade. Toda a ordem, toda a beleza da criação de Deus foi lançada em desordem, e a confiança se rompeu. A escolha de Adão e Eva de rejeitar o conselho de Deus mudou o jogo para sempre. A humanidade foi expulsa do Éden e separada da presença de Deus. Da perspectiva humana, não havia como remediar tal condição.

A compreensão desse episódio é fundamental para nossa visão de mundo. Sem contemplar a Queda, somos obrigados a nos perguntar por que Deus faria um mundo de sofrimento como este nosso. Com a Queda, entendemos que Deus criou o bem para a humanidade e fomos nós, não ele, que escolhemos o mal e mudamos a dinâmica da criação. O pecado é a questão central que estilhaça nossa vida e nossos relacionamentos, ferindo a nós mesmos e aos outros. E basta um momento de introspecção para nos lembrar que não foram apenas Adão e Eva que pecaram contra Deus, mas cada um de nós. Adão escolheu a desobediência, portanto todos herdamos uma natureza caída e rebelde, e desde o início de nossa vida pecamos contra Deus. Assim como aquele primeiro casal não podia mais voltar à presença de Deus sem a intervenção do próprio Deus, todos nós também precisamos de um Salvador. Graças ao Senhor a Queda não foi o fim, pois em Cristo somos salvos e reconciliados com Deus. Fomos redimidos, aleluia!

Oração

Querido Deus e Pai, obrigado por tua maravilhosa graça. Mesmo que eu fique aquém de teu padrão glorioso, tu me restauras e me perdoas com benevolência. Lembro-me de tua Palavra e declaro que nada poderá me separar de teu amor agora que estou salvo em Cristo. Em nome de Jesus. Amém.

Anotações

> Não são os grandes homens que transformam o mundo,
> mas sim os fracos e pequenos nas mãos de um grande Deus.
> Hudson Taylor

DIA 5

A origem de um povo

GÊNESIS 12.1-8

O Senhor tinha dito a Abrão: "Deixe sua terra natal, seus parentes e a família de seu pai e vá à terra que eu lhe mostrarei. Farei de você uma grande nação, o abençoarei e o tornarei famoso, e você será uma bênção para outros. Abençoarei os que o abençoarem e amaldiçoarei os que o amaldiçoarem. Por meio de você, todas as famílias da terra serão abençoadas". Então Abrão partiu, como o Senhor havia instruído, e Ló foi com ele. Abrão tinha 75 anos quando saiu de Harã. Tomou sua mulher, Sarai, seu sobrinho Ló e todos os seus bens, os rebanhos e os servos que havia agregado à sua casa em Harã, e seguiu para a terra de Canaã. Quando chegaram a Canaã, Abrão atravessou a terra até Siquém, onde acampou junto ao carvalho de Moré. Naquele tempo, os cananeus habitavam a região. Então o Senhor apareceu a Abrão e disse: "Darei esta terra a seus descendentes". Abrão construiu um altar ali e o dedicou ao Senhor, que lhe havia aparecido. Dali, Abrão viajou para o sul e acampou na região montanhosa, entre Betel, a oeste, e Ai, a leste. Construiu ali mais um altar dedicado ao Senhor e invocou o nome do Senhor.

Devocional

O episódio que lemos hoje é de extrema relevância em nossa história espiritual. É o relato do nascimento do povo de Deus, os israelitas, e é outro exemplo do valor do Antigo Testamento para nossa vida. Aqui vislumbramos a história eterna na qual fomos inseridos. Para fortalecer nossa fé e conhecer Jesus plenamente, devemos compreender as realidades inseridas nessa história.

Após a Queda, a trajetória da humanidade se degradou rapidamente. Em Gênesis 4—11, a iniquidade e o comportamento destrutivo dos seres humanos vão aumentando a tal ponto que Deus decide inundar o planeta que ele próprio criou. No entanto, Gênesis 12 traz um renovo, um recomeço. A esperança redentora é acesa, e uma nova fase na história de Deus tem início: a origem de Israel, um povo chamado a levar o nome de Deus e a revelar sua glória às nações. Mesmo nesse início, o plano restaurador de Deus — que culminaria em Jesus — já estava em andamento. Deus escolhe um homem, Abraão, e lhe faz uma promessa, proclamando que o abençoará com um povo, uma terra e um legado. E mais: "Por meio de você, todas as famílias da terra serão abençoadas". Passados mais de quatro mil anos, essa promessa ainda ressoa grandiosamente.

E ainda ressoa porque o cumprimento final da promessa de Deus a Abraão feita tantos anos atrás é Jesus. Foi essa a promessa pela qual nasceu a nação de Israel. Através de Abraão veio Israel, e através de Israel veio Jesus. E, por causa de Jesus, nós podemos dizer confiantemente que somos abençoados, no sentido mais profundo da palavra. Esse mesmo fio permeia todo o caminho. A antiga promessa de Deus a Abraão é a mesma que culminou em nossa salvação e bênção. Estonteante, não é mesmo? A fidelidade de Deus é magnífica!

Se você é um seguidor de Jesus, pode concluir que também é um herdeiro da promessa de Abraão. Pode descansar sabendo que o Deus que tem cumprido promessas a milhares de gerações continuará a cumprir suas promessas hoje. Em Jesus, você é abençoado e pode nele depositar sua confiança, pois ele resgata e conduz os seus em toda e qualquer circunstância. O apóstolo Paulo expressa isso da melhor forma, ao dizer que "tudo é de vocês, e vocês são de Cristo, e Cristo é de Deus" (1Coríntios 3.22-23).

Oração

Amado Senhor Jesus, eu te agradeço, pois sou abençoado além do que posso expressar, por conhecer a ti. Quaisquer que sejam minhas circunstâncias hoje, dá-me a respeito delas uma perspectiva eterna. Tua história é muito maior do que eu, e sou grato por fazer parte dela. Que eu seja achado em ti como um servo fiel. Em teu nome. Amém.

Anotações

> Senhor, torna-me tão santo quanto possível a um pecador salvo!
>
> Iain D. Campbell

DIA 6

A origem da redenção

GÊNESIS 22.1-3,7-14

Algum tempo depois, Deus pôs Abraão à prova. "Abraão!", Deus chamou. "Sim", respondeu Abraão. "Aqui estou!" Deus disse: "Tome seu filho, seu único filho, Isaque, a quem você tanto ama, e vá à terra de Moriá. Lá, em um dos montes que eu lhe mostrarei, ofereça-o como holocausto". Na manhã seguinte, Abraão se levantou cedo e preparou seu jumento. Levou consigo dois de seus servos e seu filho Isaque. Cortou lenha para o fogo do holocausto e partiu para o lugar que Deus tinha indicado. [...] Isaque se virou para Abraão e disse: "Pai?". "Sim, meu filho", respondeu Abraão. "Temos fogo e lenha", disse Isaque. "Mas onde está o cordeiro para o holocausto?" "Deus providenciará o cordeiro para o holocausto, meu filho", respondeu Abraão. E continuaram a caminhar juntos. Quando chegaram ao lugar que Deus havia indicado, Abraão construiu um altar e arrumou a lenha sobre ele. Em seguida, amarrou seu filho Isaque e o colocou no altar, sobre a lenha. Então, pegou a faca para sacrificar o filho. Nesse momento, o anjo do Senhor o chamou do céu: "Abraão! Abraão!". "Aqui estou!", respondeu Abraão. "Não toque no rapaz", disse o anjo. "Não lhe faça mal algum. Agora sei que você teme a Deus de fato. Não me negou nem mesmo seu filho, seu único filho!" Então Abraão levantou os olhos e viu um carneiro preso pelos chifres num arbusto. Pegou o carneiro e o ofereceu como holocausto em lugar do filho. Abraão chamou aquele lugar de Javé-Jiré. Até hoje, as pessoas usam esse nome como provérbio: "No monte do Senhor se providenciará".

Devocional

Compreender Gênesis nos proporciona um norte teológico para a vida cristã, permitindo que vislumbremos o coração de Deus. No primeiro livro das Escrituras constatamos que o mal entrou no mundo pela desobediência e rebelião contra Deus, e não pelas mãos do próprio Deus. O sofrimento no mundo não reflete o Deus amoroso que seguimos. Antes, causa-lhe profunda ofensa. E, como resposta ao problema do pecado, Deus misericordiosamente enviou Jesus. O Senhor está conduzindo todas as coisas segundo seu grande plano de redenção. Enquanto a santa justiça exige a separação eterna de Deus por causa do pecado, o amor de Deus providencia um caminho para levar-nos de volta a ele. A redenção sempre esteve planejada. Gênesis, portanto, não celebra apenas a origem de nossa existência, mas também de nossa salvação.

A passagem bíblica de hoje é um exemplo da obra de Jesus sendo prefigurada. Nossa salvação não foi um plano B, mas uma ação orquestrada e ordenada por um Deus magistral. O episódio narrado acima nos dá muitos motivos de ânimo. Deus diz a Abraão que sacrifique seu único filho, fruto de um milagre. À primeira vista trata-se de algo confuso: se Isaque constituía o caminho da promessa de Deus de fazer Abraão o pai de uma grande nação, por que Deus pediria seu sacrifício?

Abraão teve sua fé testada e aprovada. Deus não deseja sacrifícios infantis. Isso é contrário à sua natureza. Mas Deus de fato queria revelar o coração de Abraão, que creu no poder do Senhor. A inspiradora fé que Abraão demonstrou é um desafio para todos nós. Você confia em Deus quando suas circunstâncias parecem contrárias a suas promessas? Se está esperançoso por uma promessa de Deus, deixe que Hebreus 11.1 ressoe em seu coração e mente: "A fé mostra a realidade daquilo que esperamos; ela nos dá convicção de coisas que não vemos". Abraão certamente entendeu esse princípio!

E há um aspecto ainda mais profundo nesse relato: você enxerga nele a história de Jesus? No momento do sacrifício, um cordeiro providenciado por Deus toma o lugar de Isaque. Isaque é salvo pelo sangue sacrificial de outra vida. Essa revelação prefigura a obra de Cristo na cruz e demonstra a soberania de Deus. Como todos os acontecimentos do Antigo Testamento, esse episódio é valioso por si só e, ao mesmo tempo, aponta para uma narrativa maior: o plano de salvação e restauração de Deus. Desde Gênesis, a redenção estava em movimento. Leia a passagem novamente e glorifique a Deus por sua soberania inigualável. Estamos aqui para um grande propósito determinado por nosso Senhor.

Oração

Querido Deus e Pai celestial, eu te agradeço e te louvo por estares no controle. Tu és maravilhoso, muito além do que sou capaz de expressar. Ajuda-me a confiar em ti, assim como Abraão confiou, e aumenta minha fé. Eu afasto os olhos de minhas circunstâncias e os fixo inteiramente em ti. Em nome de Jesus. Amém.

Anotações

> Você não foi um acidente. Não foi produzido em massa. Não veio de uma linha de montagem. Você foi planejado e amavelmente posicionado neste mundo pelo Criador.
>
> Max Lucado

DIA 7

Sua origem

JOÃO 1.1-14

No princípio, aquele que é a Palavra já existia. A Palavra estava com Deus, e a Palavra era Deus. Ele existia no princípio com Deus. Por meio dele Deus criou todas as coisas, e sem ele nada foi criado. Aquele que é a Palavra possuía a vida, e sua vida trouxe luz a todos. A luz brilha na escuridão, e a escuridão nunca conseguiu apagá-la. Deus enviou um homem chamado João para falar a respeito da luz, a fim de que, por meio de seu testemunho, todos cressem. Ele não era a luz, mas veio para falar da luz. Aquele que é a verdadeira luz, que ilumina a todos, estava chegando ao mundo. Veio ao mundo que ele criou, mas o mundo não o reconheceu. Veio a seu próprio povo, e eles o rejeitaram. Mas, a todos que creram nele e o aceitaram, ele deu o direito de se tornarem filhos de Deus. Estes não nasceram segundo a ordem natural, nem como resultado da paixão ou da vontade humana, mas nasceram de Deus. Assim, a Palavra se tornou ser humano, carne e osso, e habitou entre nós. Ele era cheio de graça e verdade. E vimos sua glória, a glória do Filho único do Pai.

Devocional

O apóstolo João inicia seu Evangelho com as palavras "no princípio", ecoando propositadamente o relato da criação. Ele também revela o que temos analisado nos últimos dias, isto é, que Jesus é a peça central e o âmago de toda a Bíblia. Cristo é o fio condutor que sustenta as Escrituras e nossa maneira de compreender o mundo. Ele é a razão pela qual tanto o Antigo quanto o Novo Testamento são importantes para nós. Tudo aponta para ele e nele tudo se explica!

Para nós, cristãos, Gênesis constitui nossa história e nos localiza no tempo e no espaço, dando-nos a verdadeira base para nossa identidade. Gênesis é nossa herança, nossa árvore genealógica e a lembrança de que fomos adotados eternamente na família de Deus. Não à toa João se refere tão abertamente ao princípio de todas as coisas ao iniciar seu Evangelho. Conforme ele articula, tudo o que existe, inclusive você, foi feito por meio de Jesus. Sua vida, portanto, tem sentido e propósito. O salmo 139 diz: "Tu formaste o meu interior e me teceste [...] Eu te agradeço por me teres feito de modo tão extraordinário". As histórias de origem de Gênesis são tão relevantes porque nos alicerçam nesta realidade: somos de Cristo, e tudo foi feito por meio dele e para ele.

O teólogo N. T. Wright resume assim a conexão entre Antigo e Novo Testamento: "A Palavra pela qual todas as coisas foram feitas é agora a Palavra pela qual todas as coisas são refeitas". Jesus é a resposta redentora à nossa rebelião. É a solução para nossa confusão e para tudo o que há de errado neste mundo. O mesmo bom Deus que criou uma terra perfeita tem um plano para restaurá-la. Você fará parte desse plano, se tão somente crer em Jesus e se arrepender. Gênesis conta a sua história, portanto busque compreender esse livro. Quanto mais nos aprofundamos na Palavra, mais nos aprofundamos em Jesus. Afinal, ele é a Palavra encarnada. Você consegue ver Jesus nas passagens do Antigo Testamento? Qual delas lhe revelou algo novo nos últimos dias?

Oração

Querido Pai celestial, tu és o autor de toda a história desde o início dos tempos, e todas as coisas cooperam para teu grandioso plano de redenção. Obrigado por me amares e me chamares para ser teu. Ajuda-me a viver seguro e confiante em minha identidade como teu filho hoje. Que todas as minhas atitudes reflitam tua glória, pois tudo é para ti. Em nome de Jesus. Amém.

Anotações

DECLARAÇÃO DE POTENCIAL

Esta é uma declaração fortalecedora, para ajudar a alinhar corpo, alma e espírito à verdade da Palavra de Deus, reafirmando aquilo que somos e podemos ser em Jesus. Declare estas palavras e receba-as em seu coração e mente.

> Declaro hoje que fui criado pelas mãos de Deus.
> Como filho de Deus, fui criado com propósito e potencial.
> Não estou aqui por acaso. Tenho a missão de ser embaixador de Deus.
> O Senhor criou o íntimo de meu ser e me teceu no ventre de minha mãe.
> Louvo a Deus, pois ele me fez de modo especial e admirável. Suas obras são maravilhosas!
> Meu futuro está seguro, pois fui criado por Deus e para Deus.
> Fui salvo por Cristo e liberto para viver na verdade.
> Meu futuro é brilhante, pois Deus está ao meu lado.
> O Espírito Santo me capacita a viver plenamente e gera em mim sonhos e desejos para meu futuro.
> Em Cristo meu potencial é incalculável. Por isso eu me apego a Efésios 3.20, que diz: "Toda glória seja a Deus, que, por seu grande poder que atua em nós, é capaz de realizar infinitamente mais do que poderíamos pedir ou imaginar".
>
> Obrigado, meu Deus, pois tu me capacitas a realizar meu propósito, e sei que em ti todas as coisas são possíveis.
> Lembra-me hoje mais uma vez de meu potencial em ti e dá-me fé e esperança incansáveis para meu futuro.
> Assim declaramos em nome de Jesus.
> Amém.

Ouça a meditação "A história da criação"

SEMANA 1 2 3 **4**

Heróis da fé: deixando um legado

> O Senhor conhece pelo nome aqueles que lhe pertencem,
> mas nós os reconhecemos pelo caráter.
> Matthew Henry

DIA 1

Tornando-se um herói da fé

HEBREUS 11.1-3

A fé mostra a realidade daquilo que esperamos; ela nos dá convicção de coisas que não vemos. Pela fé, pessoas em tempos passados obtiveram aprovação. Pela fé, entendemos que todo o universo foi formado pela palavra de Deus; assim, o que se vê originou-se daquilo que não se vê.

Devocional

Nesta semana analisaremos sete verdades sobre a fé que podem revolucionar nossa caminhada cristã. Pela leitura de Hebreus 11, veremos como nós, pessoas comuns, podemos nos tornar heróis da fé, com toda humildade e resiliência dignas de Deus e pautados no maior dos heróis: Jesus Cristo. Uma vez que toda fé pressupõe um objeto, como cristãos devemos saber em que ou quem está depositada nossa fé, e o que de fato significa depositar nossa confiança em Deus. São muitos os exemplos de pessoas que confiaram no Senhor nas Escrituras, e muitas as provas de que ele é fiel para cumprir o que diz. A fé centrada em Cristo move montanhas e crê no impossível, desencadeia cura e expulsa o inimigo. Tudo isso porque Jesus tem poder para tal. Em última análise, a fé é o instrumento que Deus usa para nossa salvação.

Com frequência, porém, acabamos sentindo que nossa fé é fraca ou ineficaz, inapta para criar raízes ou para estabelecer os hábitos que a fazem crescer. Crescer na fé raramente é um trajeto linear, sem recaídas. Não significa, contudo, que ela não esteja progredindo. Perseverar é o segredo. E em nenhum momento precisamos navegar nessa jornada sozinhos, pois temos nossos irmãos na fé e o próprio Jesus conosco ao longo do caminho. Além disso, em toda a Bíblia encontramos inspiração em pessoas de fé que completaram a corrida e nos dão esperança de que o Senhor nos sustentará para fazer o mesmo.

A fim de fortalecer nossa fé, devemos entender em que ela consiste. Hebreus nos ensina que a fé é confiar no que esperamos. Sabemos que temos uma esperança segura em Jesus e podemos confiar e descansar em suas promessas de salvação. Mesmo que tudo à nossa volta desmorone, essa esperança permanece. A fé é a certeza daquilo que não vemos. Não somos capazes de ver Deus, mas sabemos que ele é real. Ainda que nos sintamos derrotados, temos a convicção de que Jesus conquistou a vitória. A fé é viver com base nessa realidade invisível. É confiar nas promessas de Deus acima das circunstâncias.

Nossa primeira verdade sobre a fé: a vida cristã começa com um momento decisivo de fé, quando reconhecemos nossa necessidade de redenção e cremos na morte e ressurreição de Jesus. Em seguida, a fé implica confiar em Jesus diariamente e manter-se firme na verdade. Hoje, viva pela fé. Sonde seu coração e dê pequenos passos para fortalecer sua fé. O Senhor é fiel para fazer sua vida florescer.

Oração

Amado Senhor Jesus, hoje quero depositar minha fé em ti. Tu és tudo de que preciso. À medida que fixo os olhos em ti, renovo a confiança nas coisas pelas quais espero e me tranquilizo quanto àquilo que ainda sou incapaz de ver. Ajuda-me a enxergar minha vida a partir de tua perspectiva. Escolho confiar em tuas promessas e não mais ser dominado pelas circunstâncias. Em teu nome. Amém.

Anotações

_____
_____
_____
_____
_____
_____
_____
_____

A fé é dar o primeiro passo mesmo quando não se pode ver a escadaria completa.
Martin Luther King Jr.

DIA 2

Como agradar a Deus: a vida de Enoque

HEBREUS 11.5-6

Pela fé, Enoque foi levado para o céu sem ver a morte; "ele desapareceu porque Deus o levou para junto de si". Porque, antes de ser levado, ele era conhecido por agradar a Deus. Sem fé é impossível agradar a Deus. Quem deseja se aproximar de Deus deve crer que ele existe e que recompensa aqueles que o buscam.

Devocional

A passagem de Hebreus 11 se assemelha a um mosaico: peças distintas são combinadas para formar uma obra espetacular. Nesse capítulo encontramos a "galeria da fé", homens e mulheres de Deus que nos mostram o que significa viver com fé radical, ultrapassando a mera exposição teológica. Ao relatar histórias de servos do Senhor, o autor bíblico compõe um inspirador mosaico de fé e demonstra que pessoas falhas e complexas como nós colheram frutos de uma fé madura. O texto é um tesouro inspirado por Deus, repleto de ferramentas práticas para nos firmar na fé.

Enoque é mencionado em Gênesis e em Hebreus. Pouco é dito a seu respeito, mas o que é registrado impressiona e faz resplandecer a importância de Deus em sua vida. Ele foi uma das duas únicas pessoas arrebatadas direto para o céu sem experimentar a morte. Em Gênesis 5.24, a Bíblia relata que Enoque andava em comunhão com Deus. Na passagem de hoje, aprendemos que Enoque era "conhecido por agradar a Deus", distinção que é seguida pela afirmação de que "sem fé é impossível agradar a Deus". Fica fácil concluir que Enoque foi estimado por Deus por causa de sua fé.

A fé agrada a Deus — enraíze isso em seu coração! Essa é nossa segunda verdade sobre a fé. Parece até simples demais, mas não perca esse princípio: ter fé agrada a Deus, e Deus quer sua fé antes de suas obras. Afinal, obras sem fé não visam verdadeiramente glorificar a Deus. Não imaginemos que precisamos impressionar a Deus, nem entremos em pânico quando o decepcionamos. Em vez disso, podemos nos concentrar em confiar em quem Deus é. Ele promete completar a obra que começou, de modo que podemos orar por santificação, buscá-lo e simplesmente descansar. Ele cuidará de nós.

Sua busca contínua pela presença de Deus, durante alegrias e dificuldades, revela um coração maduro, um coração que entendeu que, aconteça o que acontecer, nada abala o trono de Deus. Sua decisão de seguir firme na fé alegra o Senhor. Sua resiliência que não desiste, que se mantém apegada a Deus, aponta para a fidelidade dele. Toda vez que sua vida reflete seu relacionamento com Deus, ele se alegra. Portanto, seja como Enoque e decida caminhar fielmente com Deus. Ele se agradará e irá ao encontro daqueles que o buscam de todo o coração.

Oração

Querido Deus e Pai, ajuda-me a aprender com o exemplo de Enoque. Quero caminhar contigo de maneira simples e fiel. Mostra-me como agir com fé prática hoje, confiando em ti ao longo da caminhada. Obrigado por me amares, por me atraíres a ti e por me salvares por meio de teu Filho, Jesus. Tua bondade sempre me alcança, mesmo que eu não a mereça. Minha fé está em ti. Em nome de Jesus. Amém.

Anotações

> *Nunca mais tive dificuldade de acreditar em milagres, desde que experimentei o milagre da transformação de meu próprio coração.*
>
> Agostinho de Hipona

DIA 3

Confiar em Deus no impossível: a vida de Abraão e Sara

HEBREUS 11.8-12

Pela fé, Abraão obedeceu quando foi chamado para ir à outra terra que ele receberia como herança. Ele partiu sem saber para onde ia. E, mesmo quando chegou à terra que lhe havia sido prometida, viveu ali pela fé, pois era como estrangeiro, morando em tendas. Assim também fizeram Isaque e Jacó, que herdaram a mesma promessa. Abraão esperava confiantemente pela cidade de alicerces eternos, planejada e construída por Deus. Pela fé, até mesmo Sara, embora estéril e idosa, pôde ter um filho. Ela creu que Deus era fiel para cumprir sua promessa. E, assim, uma nação inteira veio desse homem velho e sem vigor, uma nação numerosa como as estrelas do céu e incontável como a areia da praia.

Devocional

A história de Abraão e Sara é impressionante, e não surpreende que eles façam parte da "galeria da fé". Eles são de fato heróis da fé, e viveram algo impossível: gestaram o filho prometido quando ambos já tinham idade avançada e Sara era estéril. O nascimento de Isaque é um verdadeiro milagre. Por vezes histórias de fé estonteantes nos paralisam em vez de nos motivar. Olhamos para Abraão e Sara e pensamos que nunca seremos como eles, que não somos qualificados para uma fé milagrosa semelhante. Consequentemente, não nos imaginamos aptos para experimentar as promessas de Deus. Abandone esse pensamento hoje.

Nossa fé tem mais a ver com o caráter de Deus do que com nossa capacidade de não duvidar. Na verdade, ao investigar a história de Abraão e Sara, rapidamente deparamos com desânimo, desobediência e desconfiança. Eles não eram perfeitos, de forma alguma. Deus, porém, nunca deixa de ser fiel, e nossas imperfeições não o levam a se afastar de nós. Por exemplo, Gênesis 16 nos mostra Abraão e Sara tão desanimados com a espera em Deus a ponto de tentarem agir com as próprias mãos. Abraão dorme com Hagar, a escrava de Sara, e ela dá à luz Ismael. Transparecendo uma amarga dúvida, Abraão e Sara deixaram que o desânimo, em vez da fé, definisse suas escolhas, o que resultou em duras consequências até os dias de hoje. Mas isso não impediu Deus de cumprir sua promessa.

Esse relato bíblico nos ajuda em dois aspectos. Em primeiro lugar, o esmorecimento nunca é benéfico e não leva à vida. O desencorajamento nos afasta de Deus e nos faz tentar resolver os problemas sozinhos. Não dê espaço ao desânimo. Lembre-se que nossa maior força sempre será infinitamente menor que a força do Deus que nos prometeu a vitória. Em vez de se deixar abater, permita que Deus seja seu consolador durante a espera. Renove sua esperança, pois Deus é fiel.

O segundo aspecto é: se você luta com dúvidas ou cansaço, ainda assim pode se tornar um herói da fé. Deus quer cumprir as promessas que fez a você, independentemente do que você tenha feito. Desperte novamente sua fé, pois em Cristo não são seus fracassos que o definem, mas sim a fidelidade de Deus. A terceira verdade sobre a fé: ela não é limitada pelo que é possível, nem se apaga com a dúvida. A fé está enraizada no caráter imutável de Deus, e prospera no impossível. Chegou a hora de confiar totalmente no Deus de milagres.

Oração

Querido Deus e Pai, obrigado por tua fidelidade. Mesmo quando sou infiel e cheio de preocupações, tu nunca me deixas. Nas áreas de minha vida nas quais me sinto desanimado ou ansioso por resposta, enche-me de tua paz. Onde tenho duvidado ou me deixado abater, enche-me de tua esperança. Ensina-me, como ensinaste a Abraão e Sara, a crescer na fé resiliente. Em nome de Jesus. Amém.

Anotações

> Se eu encontro em mim um desejo que nenhuma experiência deste mundo é capaz de satisfazer, a explicação mais provável é que fui feito para outro mundo.
>
> C. S. Lewis

DIA 4

Vivendo sem as promessas

HEBREUS 11.13-16

Todos eles morreram na fé e, embora não tenham recebido todas as coisas que lhes foram prometidas, as avistaram de longe e de bom grado as aceitaram. Reconheceram que eram estrangeiros e peregrinos neste mundo. Evidentemente, quem fala desse modo espera ter sua própria pátria. Se quisessem, poderiam ter voltado à terra de onde saíram, mas buscavam uma pátria superior, um lar celestial. Por isso Deus não se envergonha de ser chamado o Deus deles, pois lhes preparou uma cidade.

Devocional

"Uma sociedade cresce quando os velhos plantam árvores sob cuja sombra nunca se sentarão." Nossa fé abrange a compreensão desse profundo princípio dentro da história de Deus. Servimos a um Deus eterno, mas só enxergamos parte do quadro, já que vivemos em um intervalo curto da história. O Senhor nos mostra que podemos construir algo que outra pessoa terminará, e que podemos participar das promessas de Deus mesmo sem ver pessoalmente seu cumprimento. Ou seja, a vida que levamos hoje é parte de algo muito maior. Isso nos dá um propósito grandioso em nossa caminhada com Cristo, que transcende nossa própria existência.

Entretanto, isso também significa que não necessariamente colheremos os frutos daquilo que plantamos. Algumas coisas permanecerão incompletas enquanto vivermos, e devemos confiar em Deus para lidar com elas no tempo dele. Na passagem de hoje, esse princípio se revela com clareza. Constatamos que os heróis da fé não chegaram a ver a concretização das promessas de Deus, mas mantiveram sua fé até a morte. Você já considerou que fé não é obter o que queremos, mas é ter a certeza de que Deus cumprirá todas as promessas em seu devido tempo? Essa é uma proposta desafiadora.

Felizmente, a Bíblia também nos ensina como viver diante de promessas ainda não cumpridas. Somos encorajados a mudar nossa maneira de pensar. Os heróis da fé "reconheceram que eram estrangeiros e peregrinos neste mundo" e "buscavam uma pátria superior, um lar celestial". Embora estivessem no mundo, não eram do mundo. Consequentemente, viviam com perspectivas eternas, e sua esperança não era limitada por questões mundanas. Nós podemos fazer o mesmo.

Deus raramente age de acordo com o que imaginamos. Ele é ilimitado, portanto não devemos tentar encaixá-lo em nossas caixinhas. Pelo contrário, quando reconhecemos que estamos vendo apenas parte do todo, encontramos paz. Por isso, nossa quarta verdade sobre a fé é que devemos enxergar em longo prazo. Nem tudo se resolverá em nosso tempo de vida, mas continuamos confiando em Deus. O plano de redenção em Jesus é eterno, bem maior do que nós. Reconhecemos que, embora talvez não cheguemos a testemunhar o cumprimento de todas as promessas, isso de modo algum torna Deus menos fiel.

Quando caminhamos pela fé, Deus nos usa para plantar árvores sob cuja sombra nunca sentaremos. Portanto, continue obedecendo ao Senhor, pois você pode estar sendo usado para propósitos eternos. Se está esperando por avanço, siga orando. Quem sabe você está plantando sementes que florescerão nas gerações futuras, assim como gerações passadas fizeram pela sua. Continue caminhando rumo ao Alvo!

Oração

Senhor Jesus, obrigado por me chamares para tua história de redenção, graça, amor e perdão. Reconheço que vivo por uma causa maior do que eu mesmo. Ajuda-me a crescer na fé e ser resiliente em áreas onde ainda não vi o cumprimento de tuas promessas. Confio em ti, mesmo quando as coisas não acontecem como eu espero. Dá-me uma perspectiva eterna e lembra-me que, embora eu esteja neste mundo, não sou dele. Minha cidadania está no céu contigo, e por isso te louvo. Amém.

Anotações

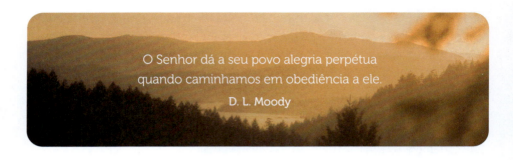

> O Senhor dá a seu povo alegria perpétua quando caminhamos em obediência a ele.
>
> D. L. Moody

DIA 5

Confiando primeiramente em Deus: a vida de Moisés

HEBREUS 11.24-29

Pela fé, Moisés, já adulto, recusou ser chamado filho da filha do faraó, preferindo ser maltratado junto com o povo de Deus a aproveitar os prazeres transitórios do pecado. Considerou melhor sofrer por causa do Cristo do que possuir os tesouros do Egito, pois tinha em vista sua grande recompensa. Pela fé, saiu do Egito sem medo da ira do rei e prosseguiu sem vacilar, como quem vê aquele que é invisível. Pela fé, ordenou que o povo de Israel celebrasse a Páscoa e aspergisse com sangue os batentes das portas, para que o anjo da morte não matasse seus filhos mais velhos. Pela fé, o povo de Israel atravessou o mar Vermelho, como se estivesse em terra seca. Quando os egípcios tentaram segui-los, morreram todos afogados.

Devocional

Temos analisado sete verdades sobre a fé que caracterizava os heróis da fé mencionados em Hebreus 11. E a verdade de hoje é que a fé consiste em escolher Deus antes de qualquer outra coisa, custe o que custar. Muitas vezes temos de escolher entre fazer o certo ou o fácil. Dietrich Bonhoeffer foi um pastor que viveu na Alemanha entre 1906 e 1945. Em meio à ascensão de Adolf Hitler, Bonhoeffer se manteve firme em seu relacionamento com Jesus e tornou-se um dos principais porta-vozes da Igreja Confessante, um centro da resistência contra o regime nazista. Recusando-se a negociar suas crenças e motivado por sua fé, Bonhoeffer se levantou para denunciar o mal que via à sua volta. Por fim, sua escolha lhe custou a vida e ele morreu enforcado, representando Cristo como pastor, profeta, ativista político e mártir.

Bonhoeffer lidava diariamente com duas opções: fazer o que era confortável ou o que era certo e difícil. Escolheu a segunda opção, assim como Moisés, que poderia ter levado uma vida de luxo como príncipe do Egito. Moisés se viu colocado em uma das posições mais privilegiadas do mundo de sua época ao ser adotado pela família do faraó. Mas ali não era seu lugar. Ele trocou a segurança da riqueza pela incerteza da pobreza. Reconheceu-se como povo de Deus e escolheu o certo em vez do fácil.

Moisés e Bonhoeffer fizeram tais escolhas por causa da fé que tinham. Pela fé, Moisés seguiu o extraordinário chamado de Deus e libertou os judeus da escravidão. Pela fé, Bonhoeffer se levantou contra um regime maligno, mesmo às custas da própria vida. A fé implica escolher Deus radicalmente, acima de todo o resto. É a determinação de defender a verdade, mesmo quando se pode sofrer rejeição; é a coragem de defender a Bíblia acima do que a sociedade diz. A fé é colocar vida e reputação em jogo em favor daquilo que interessa a Deus.

Quando começamos a nos preocupar com o que Deus pensa, o cristianismo ganha vida. Ele nos leva da mera existência para uma jornada emocionante como filhos estimados de Deus. Não será fácil, nem sempre será seguro, mas certamente será uma vida plena. Hoje, em que aspectos você pode ser como Bonhoeffer ou Moisés e defender o que é certo? Escolha agradar a Deus acima de qualquer outra pessoa, inclusive de você mesmo. Pode ser assustador, mas você não se arrependerá.

Oração

Amado Deus, ajuda-me a desenvolver uma fé como a de Moisés. Quando me vir diante da escolha entre o que é certo e o que é confortável, fortalece-me para escolher sempre o que é certo. Quando estiver em uma posição de poder ou privilégio, mostra-me como usar isso para fazer tua vontade. Quero viver pela fé, custe o que ela me custar nesta vida. Mostra-me o caminho, é o que eu te peço em nome de Jesus. Amém.

Anotações

> Não é a força de sua fé, mas o objeto de sua fé o que, de fato, salva você.
> Timothy Keller

DIA 6

Recebendo a graça de Deus: a vida de Raabe

HEBREUS 11.31

Pela fé, a prostituta Raabe não foi morta com os habitantes de sua cidade que se recusaram a obedecer, pois ela acolheu em paz os espiões.

Devocional

Você já teve a sensação de que sua vida não poderia ser usada por Deus, por acreditar que você não possui dons ou que já cometeu erros demais? Em caso afirmativo, a passagem de hoje tem um ensinamento importante para você. Raabe não é exatamente a clássica pessoa de fé. Ela era cananeia, povo inimigo dos judeus. Era uma prostituta. E, para completar, o ato mais importante atribuído a ela no texto bíblico é uma mentira flagrante, pois ela não só engana os soldados de sua cidade como também esconde e protege espiões israelitas em sua terra.

A presença de Raabe na galeria da fé é inusitada, mas ela está lá, e essa heroína certamente merece um olhar mais atento. Quanto mais meditamos a seu respeito, mais entendemos por que sua fé a torna notável. Uma gentia que exercia um trabalho imoral, sua confiança em Deus é de se admirar. De alguma forma, ela enxerga além das circunstâncias e percebe a mão de Deus ao encontrar os israelitas que estão espionando Jericó. Em Josué 2.9,11, ela declara: "Sei que o Senhor lhes deu esta terra [...] pois o Senhor, seu Deus, é Deus supremo em cima no céu e embaixo na terra". Que incrível declaração de fé!

Apesar de tudo o que Raabe havia feito, Deus viu sua fé, e por isso ela é elogiada. Essa reconfortante verdade nos leva ao sexto fato a respeito da fé: independentemente do que tenhamos feito, a fé nos liberta para receber a graça de Deus. Ele quer nosso coração, não nosso histórico de vida. Qualquer que seja seu passado, Deus deseja usar você. Sua graça transborda, os pecados são lavados, ele faz novas todas as coisas. Enquanto vivermos, ainda resta tempo. Basta que haja fé. Graças a Jesus, a fé é suficiente.

A exemplo de Raabe, você precisa tão somente voltar-se para Deus. Entregue-se ao senhorio de Jesus e saiba que a obra da cruz é totalmente suficiente. Toda escuridão, toda vergonha e todo pecado já foram derrotados. Todo aquele que crê em Jesus está livre. Paulo comunica esse princípio em Efésios 2.8 ao proclamar: "Vocês são salvos pela graça, por meio da fé. Isso não vem de vocês; é uma dádiva de Deus". A fé nos salva. Se você tem desqualificado a si mesmo de fazer parte do plano de Deus, renove sua mente. Deus tem um lugar para você, e nada que você tenha feito anula isso. Portanto, desperte sua fé e levante sua cabeça.

Oração

Amado Deus e Pai, eu te agradeço pelo exemplo de Raabe. Ajuda-me a ter uma fé intensa e ousada como ela teve. Quando meus erros ou fracassos me sobrecarregarem, lembra-me novamente de tua graça. Sei que tu desejas minha total confiança e meu foco exclusivo. Obrigado pela obra definitiva de Jesus na cruz, que possibilita meu relacionamento contigo. De fato, Cristo é o perfeito sumo sacerdote. Tu és tudo de que preciso para sempre. Em nome de Jesus. Amém.

Anotações

> O melhor testemunho que temos como igreja não são nossas programações, mas nossa vida transformada.
> Rich Villodas

DIA 7

Vivendo para Jesus: mergulhe de cabeça

HEBREUS 11.32-40

Quanto mais preciso dizer? Levaria muito tempo para falar sobre a fé que Gideão, Baraque, Sansão, Jefté, Davi, Samuel e os profetas tiveram. Pela fé, eles conquistaram reinos, governaram com justiça e receberam promessas. Fecharam a boca de leões, apagaram chamas de fogo e escaparam de morrer pela espada. Sua fraqueza foi transformada em força. Tornaram-se poderosos na batalha e fizeram fugir exércitos inteiros. Mulheres receberam de volta seus queridos que haviam morrido. Outros, porém, foram torturados, recusando-se a ser libertos, e depositaram sua esperança na ressurreição para uma vida melhor. Alguns foram alvo de zombaria e açoites, e outros, acorrentados em prisões. Alguns morreram apedrejados, outros foram serrados ao meio, e outros ainda, mortos à espada. Alguns andavam vestidos com peles de ovelhas e cabras, necessitados, afligidos e maltratados. Este mundo não era digno deles. Vagaram por desertos e montes, escondendo-se em cavernas e buracos na terra. Todos eles obtiveram aprovação por causa de sua fé; no entanto, nenhum deles recebeu tudo que havia sido prometido. Pois Deus tinha algo melhor preparado para nós, de modo que, sem nós, eles não chegassem à perfeição.

Devocional

Hebreus 11 pinta um quadro de fé. Até aqui vimos que a fé é uma escolha diária; ela agrada a Deus; não se detém somente no que é "possível"; tem visão eterna; defende a verdade a todo custo; e nos liberta para receber a graça de Deus. Cada uma dessas verdades deve transformar nossa mente e nos amadurecer espiritualmente. O último fato que veremos é o seguinte: a fé é uma imersão total.

Largar nossa vida cristã em cima do muro significa nos contentarmos com a mornidão, e isso não agrada a Deus. Seguir a Jesus envolve tudo em nós. É uma mudança em nossa visão de mundo, naquilo em que cremos, naquilo que pensamos, em nosso entendimento do propósito da vida. Implica amor sacrificial, e é a aventura mais gratificante que há. Quando nos entregamos aos propósitos de Jesus, experimentamos a vida de maneiras surpreendentes. Seguir Jesus é decidir deixar um legado na eternidade em vez de viver para si mesmo. Nem sempre será fácil ou confortável, mas certamente será frutífero e poderoso.

Se esse chamado lhe parece extremo ou utópico, a passagem de hoje deixa poucas dúvidas sobre até onde uma vida piedosa pode nos levar. Esses antigos heróis foram escarnecidos, maltratados e mortos à medida que, transcendendo a visão terrena, enraizaram sua fé no céu. O que os moveu foi o amor pelo Senhor, e Deus os honrou. Esses mesmos heróis também conquistaram reinos, praticaram a justiça, fecharam a boca de leões, venceram o fogo e viram suas fraquezas se transformarem em força. Eles representaram a Deus e se entregaram a sua causa, presenciando demonstrações de poder sobrenatural. Afirmar que "o mundo não era digno deles" é uma das mais honrosas declarações da Bíblia.

Como aconteceu com o próprio Jesus, uma vida de grandes sacrifícios gera altas recompensas. A fé não é passiva. Ela deve impulsionar e envolver tudo o que fazemos. Ela pode nos levar a lugares nunca imaginados e nos ajudar a vencer os maiores obstáculos. Você está disposto a crescer nessa fé radical? Hoje vemos muito mais da grande obra de Deus do que os antigos heróis viram, pois temos a ressurreição de Jesus para nos ancorar e o Espírito Santo para nos fortalecer. Vivemos a promessa que os antigos morreram antes de ver. Como cristãos, estamos em uma posição extraordinária. Nossa fé está enraizada em revelações incríveis sobre Deus e, pela graça, podemos nos tornar verdadeiros heróis da fé.

Oração

Amado Senhor Jesus, eu te agradeço pelo dom da fé. Tu és digno de toda adoração! Bem sei que posso mergulhar de cabeça em tua fidelidade. Ajuda-me a me entregar totalmente em tuas mãos, pois quero viver uma vida cristã completa. Quero seguir-te, independentemente do que isso me custar, pois não há nada mais valioso. Ajuda-me a tornar-me um herói da fé, aprofundando meu relacionamento contigo e moldando meu caráter ao teu. Em teu santo nome. Amém.

Anotações

PORQUE SEU TESTEMUNHO IMPORTA

"Pregue o evangelho em todo tempo. Se necessário, use palavras."

Essa citação, atribuída por muitos a Francisco de Assis, revela algo poderoso sobre testemunho. A vida de Jesus e de seus discípulos confirma a veracidade dessas palavras. À medida que refletia nas histórias relatadas ao longo desta semana, talvez você tenha sido movido a pensar sobre seu próprio testemunho e como poderia usar sua história para compartilhar o evangelho. Se assim for, os pontos a seguir sobre a importância do testemunho podem lhe oferecer ainda mais encorajamento:

- *Testemunhos com frequência suscitam histórias de outras pessoas.* Histórias contemporâneas muitas vezes nos impactam mais do que as histórias da Bíblia, que por vezes nos soam distantes ou grandiosas demais, com protagonistas envolvidos em circunstâncias distintas das que enfrentamos hoje. Testemunhos recentes aproximam de nossa vida e realidade o poder e a fidelidade de Deus.

- *Testemunhos são lembretes da bondade de Deus.* Quando ouvimos histórias sobre a atuação de Deus na vida das pessoas, nossa fé se expande. Se Deus pôde mover uma montanha para aquela pessoa, ele certamente pode movê-la para nós também. Depois que os israelitas atravessaram o rio Jordão, Deus instruiu a Josué que levasse doze sacerdotes a pegarem doze pedras do meio do Jordão e as colocarem em um terreno plano, em público. Deus pediu isso a fim de que, em tempos vindouros, quando seus filhos e as gerações seguintes lhes perguntassem sobre as pedras, eles dessem testemunho de que Deus lhes abriu o rio Jordão e os fez atravessar em terra seca. Fica evidente que Deus quer que lembremos repetidamente o que ele fez por nós no passado.

- *Testemunhos derrotam os planos e os propósitos do inimigo.* Assim diz Apocalipse 12.11: "Eles o derrotaram pelo sangue do Cordeiro e pelo testemunho deles. Não amaram a própria vida nem mesmo diante da morte". Testemunhos são uma maneira poderosa de declarar a bondade de Deus e proclamar o que ele fez em nossa vida. Satanás não suporta nem consegue lidar com um cristão que proclama o poder e a bondade de Deus. Nossos testemunhos ajudam a derrubar os planos do inimigo.

Se você estava esperando por um momento para contar sua história, agora é a hora! Pense e ore a respeito de como e a quem você pode compartilhar sua história com coragem e intrepidez.

Ouça "A história do Conde Zinzendorf"

TEMA 2

Lidando com as aflições

SEMANA **1** 2 3 4

Superando a preocupação e o medo

> Somente o Senhor pode aquietar nossa alma e fazê-la descansar. Só nele encontramos abrigo seguro. Ele é o único que pode inspirar canções de louvor nas noites escuras.
> Hernandes Dias Lopes

DIA 1

O preço da preocupação

MARCOS 4.15-20

[Jesus disse:] "As sementes que caíram à beira do caminho representam os que ouvem a mensagem, mas Satanás logo vem e a toma deles. As que caíram no solo rochoso representam aqueles que ouvem a mensagem e, sem demora, a recebem com alegria. Contudo, uma vez que não têm raízes profundas, não duram muito. Assim que enfrentam problemas ou são perseguidos por causa da mensagem, cedo desanimam. As que caíram entre os espinhos representam outros que ouvem a mensagem, mas logo ela é sufocada pelas preocupações desta vida, pela sedução da riqueza e pelo desejo por outras coisas, não produzindo fruto. E as que caíram em solo fértil representam os que ouvem e aceitam a mensagem e produzem uma colheita trinta, sessenta ou até cem vezes maior que a quantidade semeada".

Devocional

Algumas coisas nos levam da tranquilidade ao estado de alerta em segundos. Por exemplo, um pedaço de comida que se aloja na garganta, bloqueando as vias respiratórias e ameaçando a vida. O sufocamento é repentino, insidioso e, às vezes, fatal. A passagem de hoje descreve outro tipo de sufoco, mas que parece ser igualmente fatal. As preocupações do dia a dia, o engano das riquezas e o anseio por realizações mundanas vêm e sufocam a Palavra de Deus em nossa vida, tornando-a infrutífera.

Na parábola do semeador, um lavrador lança sementes que caem em lugares diferentes. Algumas caem à beira do caminho, outras em solo rochoso, outras entre espinhos e outras ainda em solo fértil. As sementes representam a Palavra de Deus no coração das pessoas. O Senhor nos ensina que as sementes que caíram entre os espinhos são como pessoas que ouvem a Palavra, mas, por causa das preocupações, da sedução das riquezas ou do desejo por outras coisas, nunca dão fruto.

Perceba que Jesus não distingue a preocupação dos demais espinhos. Na visão dele, preocupar-se é tão perigoso quanto se deixar seduzir pela riqueza ou pelos desejos mundanos. Preocupar-se significa, de certo modo, não confiar na soberania de Deus. Você está preocupado com alguma coisa hoje? Normalmente, a resposta para essa pergunta não é tão breve e simples. Na verdade, muito provavelmente conseguiríamos escrever páginas e páginas contendo os elementos que atormentam nosso coração. Enquanto carregarmos preocupações conosco, correremos o risco de sermos por elas consumidos, sufocados, paralisados e, por fim, vencidos. Porém, olhando pelo lado positivo, uma vez que identificamos esses espinhos, podemos começar a retirá-los de nossa vida, um de cada vez.

Jesus nos avisa que, se não entregarmos as preocupações ao Senhor, elas farão que sejamos infrutíferos. Nosso coração murcha, e quando nossas ações e emoções se opõem ao fruto do Espírito, a preocupação constitui a raiz do problema. As ocupações e questões da vida neste mundo certamente surgirão, mas ao entregar cada uma delas a Deus, agindo com serenidade e confiando na soberania do Senhor, nosso coração experimentará a paz. Deus nos exorta a lançar nossas preocupações sobre ele e deixar que ele cuide de nós. Com isso, abriremos espaço em nossa vida para que a Palavra de Deus cresça e produza mais frutos do que podemos imaginar.

Oração

Amado Deus e Pai celestial, livra-me de toda preocupação. Liberta-me do medo e da aflição diante das incertezas da vida. Que eu saiba confiar verdadeiramente em ti. Dá-me provisão e proteção, Espírito Santo, e lembra-me de teu poder e de tua presença, para que eu possa terminar este dia com mais confiança e serenidade. Em nome de Jesus. Amém.

Anotações

> Quão doce soa o nome de Jesus aos ouvidos de quem crê!
> Acalma as tristezas, cura as feridas e afasta o medo.
>
> John Newton

DIA 2

Vencendo a preocupação

MATEUS 6.25-33

[Jesus disse:] "Por isso eu lhes digo que não se preocupem com a vida diária, se terão o suficiente para comer, beber ou vestir. A vida não é mais que comida, e o corpo não é mais que roupa? Observem os pássaros. Eles não plantam nem colhem, nem guardam alimento em celeiros, pois seu Pai celestial os alimenta. Acaso vocês não são muito mais valiosos que os pássaros? Qual de vocês, por mais preocupado que esteja, pode acrescentar ao menos uma hora à sua vida? E por que se preocupar com a roupa? Observem como crescem os lírios do campo. Não trabalham nem fazem roupas e, no entanto, nem Salomão em toda a sua glória se vestiu como eles. E, se Deus veste com tamanha beleza as flores silvestres que hoje estão aqui e amanhã são lançadas ao fogo, não será muito mais generoso com vocês, gente de pequena fé? Portanto, não se preocupem, dizendo: 'O que vamos comer? O que vamos beber? O que vamos vestir?'. Essas coisas ocupam o pensamento dos pagãos, mas seu Pai celestial já sabe do que vocês precisam. Busquem, em primeiro lugar, o reino de Deus e a sua justiça, e todas essas coisas lhes serão dadas."

Devocional

Quando o assunto é preocupação, muitos de nós seríamos candidatos ideais para ganhar uma medalha de ouro. Somos campeões em seguir o caminho do "e se?" em nossa cabeça, imaginando mil cenários e temendo o que poderia acontecer conosco e com quem amamos. Somente quando consideramos nossos medos à luz da Palavra e aos pés de nosso Pai amoroso é que tais medos se tornam pequenos e insignificantes.

Jesus conhece plenamente nossa tendência a nos preocuparmos, por isso perguntou: "Qual de vocês, por mais preocupado que esteja, pode acrescentar ao menos uma hora à sua vida?". Nós alimentamos a preocupação sempre que permitimos que ela se enraíze em nossos pensamentos. Desperdiçamos tempo e energia permitindo que nossa mente se preocupe com situações que nosso Pai celestial já tem sob seu controle.

A passagem de hoje nos lembra que temos um Pai presente e cuidadoso que se preocupa até com os pássaros no céu: "Observem os pássaros. Eles não plantam nem colhem, nem guardam alimento em celeiros, pois seu Pai celestial os alimenta. Acaso vocês não são muito mais valiosos que os pássaros?". Quando nos lembramos que Deus alimenta até os pássaros, podemos manter a calma e a confiança, pois sabemos que nosso Pai celestial nos vê, nos ama e cuida de nós. Ele é nosso provedor.

Você talvez enfrente neste momento algumas incertezas em sua vida. Quem sabe problemas no trabalho o estejam exaurindo. Quem sabe a preocupação com os filhos não o deixe dormir à noite. Ainda assim, podemos exercitar os músculos da fé em meio a essas preocupações. Em vez de perder tempo e energia com o que não podemos controlar, podemos usá-los para amadurecer e desenvolver nossa fé. Por que repetir medos em nossa mente quando podemos, em vez disso, escolher nos lembrar das verdades de Deus? E se olharmos para a Bíblia e encontrarmos um versículo específico ou passagem que trate de nossas preocupações?

A preocupação não mudará nossa situação, mas a Palavra de Deus pode fazê-lo. Lembre-se que está ao nosso alcance a escolha de substituir o medo pela Palavra de Deus. Quando surgirem em nossa mente pensamentos ansiosos, relembremos as promessas de Deus e meditemos em sua fidelidade. Transformemos as preocupações em orações, como fazia o rei Davi, e proclamemos a poderosa Palavra de Deus sobre nós mesmos e sobre quem amamos. Afinal, nosso Pai celestial vê cada fio de cabelo que cai de nossa cabeça. Ele cuida de nós.

Oração

Amado Senhor Deus, a natureza, o mundo que tu criaste, está repleta de tua glória. Assim como tu cuidas das aves do céu, cuidas também de mim e sempre sabes do que eu preciso. Obrigado por tamanho cuidado e amor. Que minha confiança em ti aumente a cada dia, e que minha vida seja firmada em ti. Em nome de Jesus. Amém.

Anotações

_____

_____

_____

> A soberania de Deus é o travesseiro macio sobre o qual podemos repousar a cabeça durante os tempos difíceis.
> Steven Lawson

DIA 3

Quando a preocupação nos exaure

MATEUS 11.28-30

[Jesus disse:] "Venham a mim todos vocês que estão cansados e sobrecarregados, e eu lhes darei descanso. Tomem sobre vocês o meu jugo. Deixem que eu lhes ensine, pois sou manso e humilde de coração, e encontrarão descanso para a alma. Meu jugo é fácil de carregar, e o fardo que lhes dou é leve".

Devocional

Você já acordou de repente no meio da noite com um fardo pesado no coração? Às vezes, esse tipo de peso vem do Senhor, e só é retirado quando ele cumpre seu propósito, como, por exemplo, um impulso para que oremos ou uma forte motivação para que façamos algo que está no coração dele. Outros fardos são causados pelo pecado, e pesam até que nos arrependamos e o confessemos. Mas alguns fardos do cotidiano simplesmente não são para nós carregarmos. Nossa tendência é pensar nas pequenas preocupações diárias como parte da vida, responsabilidades com as quais devemos lidar sem "incomodar" a Deus. Na verdade, porém, nosso propósito é andar com Deus em obediência e confiar a ele todas as nossas ansiedades. Todas.

Abrir mão de nossos fardos não significa abandonar nossas responsabilidades. Antes, significa que lidamos com os afazeres com leveza e sabedoria. Sim, levamos tudo a Deus em oração, ouvindo sua orientação e bendizendo seu nome por ter levado sobre si as nossas dores. Você tem levado uma carga pesada? Deus quer sustentá-la, e quer sustentar você, em seus braços. Como vimos na passagem de hoje, isso é o que Jesus diz aos que o seguem. Ele nos liberta das preocupações. Mas isso só acontece quando nos rendemos de forma contínua e consistente aos cuidados do Senhor.

Jesus nos oferece um jugo suave, leve, um lugar para aprender, para encontrar descanso, alívio, tranquilidade, refrigério, alegria e renovação. Esse é um jugo que gostaríamos instintivamente de ter sobre nós. Ao contrário do que experimentamos quando compramos algo de "tamanho único" em uma loja, e que na verdade não serve bem para todos, o "tamanho único" de Jesus é verdadeiro, é um caminho para que todos encontrem descanso.

No dia de hoje, experimente o jugo do Senhor. Mantenha-o sobre você. Não saia à procura de outros trajes, como o orgulho, o controle ou a autossuficiência. As vestes que o Senhor oferece nunca se desgastam e não precisam ser lavadas. O Deus do universo está convidando você a tomar o jugo dele e a continuar em sua companhia. Prove e veja que o Senhor é bom!

Oração

Amado Senhor Jesus, ajuda-me a seguir teus passos e a andar em teu ritmo. Sei que me convidas a caminhar e a aprender com teu exemplo, observando como tu vives em infinita graça e bondade. Minha oração é que meu caráter, meu coração e minha vida sejam moldados por tuas mãos, de acordo com tua boa, agradável e perfeita vontade. Que tu continues a me orientar diariamente. Em teu nome. Amém.

Anotações

> O melhor antídoto para a ansiedade é a meditação constante sobre a bondade, o poder e a suficiência de Deus. Nada é grande demais e nada é pequeno demais para ser colocado diante do Senhor e lançado sobre ele.
>
> A. W. Pink

DIA 4

Palavras de vida vencem a preocupação

TIAGO 3.7-12

O ser humano consegue domar toda espécie de animal, ave, réptil e peixe, mas ninguém consegue domar a língua. Ela é incontrolável e perversa, cheia de veneno mortífero. Às vezes louva nosso Senhor e Pai e, às vezes, amaldiçoa aqueles que Deus criou à sua imagem. E, assim, bênção e maldição saem da mesma boca. Meus irmãos, isso não está certo! Acaso de uma mesma fonte pode jorrar água doce e amarga? Pode a figueira produzir azeitonas ou a videira produzir figos? Da mesma forma, não se pode tirar água doce de uma fonte salgada.

Devocional

Uma das muitas bênçãos de ser cristão é poder contar com o Espírito Santo como nosso consolador e amigo. De tempos em tempos, porém, ele também nos desafia a respeito das palavras que expressamos a nós mesmos e aos outros. É como se ele perguntasse: "Você está falando das bênçãos ou dos fardos em sua vida?". Então, em Tiago 3.11, encontramos esta pergunta de autoexame: "Acaso de uma mesma fonte pode jorrar água doce e amarga?".

Uma aula básica de ciências nos ensinará que água doce e água salgada não podem se originar da mesma fonte. Mas aqui Tiago não está falando sobre água. Está falando sobre a alma. E o que está em nosso interior, via de regra, é o que flui de nós por meio de nossas palavras. Quando Tiago escreveu essa passagem, sua intenção provavelmente era a de apresentar uma imagem vívida das nascentes de água mineral no vale do Jordão, perto do mar Morto. Uma associação que os destinatários originais de sua carta poderiam facilmente fazer.

Sim, queremos usar palavras vivificantes para acalmar as preocupações e os conflitos. Queremos usar palavras otimistas e encorajadoras para tomar decisões acertadas. Queremos usar palavras de bênção com nossa família. Mas, se queremos de fato usar esse tipo de palavras, teremos de lidar também com algumas severas distorções em nosso coração, que é a fonte de palavras salgadas e agressivas. Trata-se daquele lugar dentro de nós no qual ninguém entra, exceto nós mesmos e o Espírito Santo.

Todo o capítulo 3 de Tiago nos oferece sabedoria acerca das palavras que proferimos. Assim, que nos apeguemos à passagem de hoje, lembrando que, ao cuidar do que se passa em nosso interior, algo de bom pode fluir de nós. Escolhamos expressar palavras de bênção, não de maldição, a respeito de cada conflito que surgir em nosso caminho. Nem sempre acertaremos, mas podemos dar os passos certos. É pelo que sai da boca da pessoa que ela se contamina. E o que as palavras revelam é de extrema importância. Como quer que nossas palavras tenham soado no passado, hoje é o dia em que podemos decidir ser diferentes. Esse reconhecimento e essa humildade é o lugar onde a cura começa, tanto interna quanto externamente.

Oração

Amado Deus e Pai, santifica minhas palavras e doma minha língua. Dá-me paciência e discernimento para saber o que compartilhar e o que guardar comigo. Ajuda-me a fazer que minhas palavras sejam temperadas com sal, a fim de que levem vida a todos com quem eu me encontrar. Em nome de Jesus. Amém.

Anotações

> Deus, envia-me a qualquer lugar, desde que tu me acompanhes.
> Coloca qualquer carga sobre mim, desde que me carregues contigo.
> Desata todos os laços de meu coração, menos o laço que me prende a ti.
> David Livingstone

DIA 5

O segredo para vencer o medo

SALMOS 56.1-6

Ó Deus, tem misericórdia de mim, pois sofro perseguição; meus inimigos me atacam o dia todo. Vivo perseguido por aqueles que me caluniam, e muitos me atacam abertamente. Quando eu tiver medo, porém, confiarei em ti. Louvo a Deus por suas promessas, confio em Deus e não temerei; o que me podem fazer os simples mortais? Sempre distorcem o que digo e passam dias tramando me prejudicar. Reúnem-se para me espionar e vigiam meus passos, ansiosos para me matar.

Devocional

Quando lemos o salmo 56, constatamos que Davi experimentou aflições que acometem a muitos nos dias de hoje. Perseguição, ataques, calúnia. Não é difícil identificar-se com a dor de Davi. E há ainda tantos outros motivos que nos assolam a mente e nos levam a sentir medo. Temermos por nossa segurança, por nossa saúde, pelo futuro de nossos filhos. No entanto, para combater o medo e apaziguar o coração, não existe melhor caminho que conhecer a Bíblia, o lugar onde Deus revela mais sobre quem ele é.

Em Salmos 56.3, o rei Davi escreve que, quando sentir medo, ele depositará sua confiança em Deus. Não "se", mas "quando", diz Davi. Ele sabe que a preocupação é um inimigo teimoso e persistente do coração humano, e também sabe que a única maneira realista e eficaz de combater o medo e a preocupação é confiando continuamente em Deus. É verdade que "confiar em Deus" é uma coisa boa e certa a fazer, mas, se formos honestos, a frase muitas vezes não passa de um clichê vazio.

O que exatamente é confiar em Deus? Não raro, acabamos por nos questionar se Deus é de fato confiável e, em caso afirmativo, como podemos confiar nele quando os medos se avolumam e a fé se mostra hesitante. O que Davi revela no salmo acima nos ajuda porque lutar contra o medo não consiste em um ato único. Antes, é uma prática contínua. Confiar em Deus funciona da mesma maneira: não significa necessariamente que a preocupação desaparecerá e os medos se irão instantaneamente. Significa, isto sim, que sabemos para onde e para quem devemos levá-los, vez após vez.

Combatemos o medo com um temor muito mais poderoso: o temor do Senhor. Porque Deus é bom e está no controle, ele é digno de nossa reverência e admiração. E não apenas isso: ele demonstrou a confiabilidade de seu caráter ao enviar seu Filho para nos resgatar de nossa maior e mais terrível condição, a condenação por nossos pecados. E, uma vez que Jesus ressuscitou dos mortos, tendo derrotado aquilo que mais deveríamos temer, podemos depositar nele nossa confiança. Quando estamos com medo, podemos ir até ele e pedir que nos renove a esperança e nos ajude. À medida que nos voltamos para Jesus colocando diante dele nossos medos, sua vida em nós crescerá, e o medo diminuirá. Essa é a chave para lutar contra o medo: conhecer Jesus, confiar nele e adorá-lo diariamente.

Oração

Amado Deus e Pai, peço-te que eu possa superar o medo em meu coração com a fé que vem de ti. Deus santo, tu sabes de todas as coisas, e isso é suficiente para que eu espere, confie e siga em frente com fé. Fortalece minha fé, Senhor. Livra-me das forças que estão me prendendo neste mundo. Que eu viva para teu reino celestial. Em nome de Jesus. Amém.

Anotações

> Quanto maior seu conhecimento da bondade e da graça de Deus em sua vida, maior a probabilidade de você louvá-lo na tempestade.
> Matt Chandler

DIA 6

O medo de Habacuque

HABACUQUE 3.16-19

Estremeci por dentro quando ouvi isso; meus lábios tremeram de medo. Minhas pernas vacilaram, e tremi de terror. Esperarei em silêncio pelo dia em que a calamidade virá sobre nossos invasores. Ainda que a figueira não floresça e não haja frutos nas videiras, ainda que a colheita de azeitonas não dê em nada e os campos fiquem vazios e improdutivos, ainda que os rebanhos morram nos campos e os currais fiquem vazios, mesmo assim me alegrarei no Senhor; exultarei no Deus de minha salvação! O Senhor Soberano é minha força! Ele torna meus pés firmes como os da corça, para que eu possa andar em lugares altos.

Devocional

De tempos em tempos, deparamos com circunstâncias que estremecem nossos alicerces, fazendo os joelhos vacilarem. Na passagem de hoje, o profeta Habacuque recebeu uma mensagem de Deus que o abalou profundamente. Habacuque estava se perguntando por que Deus parecia fechar os ouvidos diante de seus apelos. Como o Senhor poderia permitir tamanha violência e destruição em Judá? Como poderia permitir que a nação continuasse em seus maus caminhos? Certamente ele acabaria com essa maldade!

Mas não. Deus estava mobilizando uma fonte de aflições ainda maior. Um inimigo terrível, mais hediondo do que Judá jamais seria. A Babilônia, o epítome da depravação, estava prestes a invadir a pequena nação de Judá. E o profeta reage a essa revelação com medo e preocupação. Habacuque sente medo, mas responde às circunstâncias com fé, sabendo em quem ele confiava. Enquanto muitas vezes fazemos uma lista de preocupações do tipo "Deus, e se...?", Habacuque apresenta em oração uma lista do tipo "Deus, tu *já* fizeste".

Deus, tu já mostraste teu poder e tua força. Deus, tu já libertaste teu povo. Deus, tu já te comprometeste a nos proteger e nos chamaste de teu povo. Para Habacuque, fé não é a ausência de medo, mas é a determinação de confiar. Ele diz: "Ainda que a figueira não floresça e não haja frutos nas videiras, ainda que a colheita de azeitonas não dê em nada e os campos fiquem vazios e improdutivos, ainda que os rebanhos morram nos campos e os currais fiquem vazios, mesmo assim me alegrarei no Senhor; exultarei no Deus de minha salvação!".

Talvez as circunstâncias atuais o estejam fazendo tremer. Sentir medo não significa não ter fé, mas sim que o solo sob nossos pés está estremecendo. Significa que o que está acontecendo é legitimamente assustador. Não se preocupe em tentar reprimir o medo. Diante de um sofrimento real, precisamos de um Salvador real. Assim como Habacuque, lembre-se do que Deus fez. Recorde como Deus tem trabalhado em sua vida e na daqueles cujas histórias estão registradas nas páginas das Escrituras. Hoje, podemos nos lembrar de uma coisa que Habacuque não pôde trazer à memória: a cruz. Se você precisa fortalecer sua confiança em Deus, olhe para a cruz. Deus é nosso Salvador definitivo. Se podemos confiar nele para nos salvar de nosso pecado, podemos confiar nele para nos salvar de qualquer circunstância.

Oração

Amado Senhor Jesus, tu és aquele que move montanhas. Venceste a morte, o inferno e a sepultura, e tens as chaves de teu reino, no trono à direita do Pai. Isso é suficiente para que eu viva minha fé por teu reino e impacte os outros, livre do medo, da ansiedade ou da preocupação com as opiniões e críticas alheias. Anda comigo por onde eu for, e que teu reino venha à terra. Amém.

Anotações

> Tenha coragem! Andamos hoje no deserto
> e, amanhã, na terra prometida!
>
> D. L. Moody

DIA 7

Conte as bênçãos, não os problemas

NÚMEROS 1.1-4

No primeiro dia do segundo mês, no segundo ano desde a saída dos israelitas do Egito, o Senhor falou a Moisés na tenda do encontro, no deserto do Sinai, e disse: "Realize um censo de toda a comunidade de Israel, de acordo com seus clãs e famílias. Faça uma lista de todos os homens de 20 anos para cima, aptos para irem à guerra. Você e Arão registrarão os soldados com a ajuda do chefe dos clãs de cada uma das tribos".

Devocional

À medida que amadurecemos, assumimos mais responsabilidades e compromissos. Tarefas talvez tediosas, mas necessárias, passam a fazer parte de nossa vida. Torna-se necessário, assim, avaliar de perto nossas ações e as consequências de cada passo que damos. Às vezes, as tarefas que parecem mais insignificantes são as mais importantes para nos preparar, nos instruir e, como vemos na história da Bíblia de hoje, nos encher o coração de esperança.

Em Números 1, deparamos com a ordem de Deus para que Israel faça um censo das pessoas que haviam sido libertas da escravidão no Egito. Deus não pede a seu povo que calcule a quantidade de roupas, de ouro ou de alimento que possuíam. Em vez disso, pede que contem as pessoas. O Senhor estava preparando Israel para tomar posse da terra que ele havia prometido, a terra de Canaã. Seu desejo era que os israelitas conhecessem sua própria força militar e se organizassem. Assim, quando enfrentassem os próximos passos, que exigiriam deles grande fé, poderiam se lembrar de quantos deles Deus havia resgatado do Egito.

Embora Deus tenha pedido a Israel que contasse as pessoas a fim de que fossem fortalecidos na fé, nossa tendência muitas vezes é contar os problemas, o que em geral resulta no efeito oposto. Somamos o número de pessoas que nos causaram frustração, o número de vezes que precisamos insistir com alguém a respeito de algo urgente, o número de itens em nossa lista de afazeres para os quais não dispomos de tempo para realizar. Nossos esforços consistem mais em contar os problemas do que em contar as bênçãos.

Fazer o povo avaliar seus recursos foi a maneira que Deus usou para preparar os israelitas para valorizarem o que tinham, em vez de se concentrarem no que não tinham. Também serviu como exercício para que crescessem na fé à medida que ele os guiava para a terra prometida. Nós também podemos analisar os números e perceber que Deus colocou pessoas e recursos em nossa vida a fim de nos ajudar a lutar nossas batalhas. Portanto, avaliemos nossa situação hoje, louvando-o não apenas pelo que ele nos deu, mas também por quem ele é para nós.

Oração

Senhor Jesus, como são belos os pés daqueles que trazem boas-novas ao teu povo! Usa-me, de modo que eu seja tuas mãos e teus pés para sustentar os outros, cuidar dos pobres e ser teu missionário, levando tua imagem para o mundo. Que eu reconheça tua mão em todos os meus caminhos, e conte cada uma das bênçãos que tu depositas em minha vida. Amém.

Anotações

DECLARAÇÃO DE LIBERTAÇÃO DO MEDO

Como já vimos, as palavras que dizemos influenciam nossa vida. Por isso, reserve um momento de seu dia para declarar as verdades bíblicas a seguir, a fim de que por meio delas você possa conhecer pessoalmente o poder da Palavra viva e ativa de Deus.

> Busquei o Senhor, e ele me respondeu; livrou-me de todos os meus temores. Os que olham para ele ficarão radiantes. (Salmos 34.4-5)
>
> Mesmo quando eu andar pelo escuro vale da morte, não terei medo, pois tu estás ao meu lado. Tua vara e teu cajado me protegem. (Salmos 23.4)
>
> O Senhor é minha luz e minha salvação; então, por que ter medo? O Senhor é a fortaleza de minha vida; então, por que estremecer? (Salmos 27.1)
>
> Deus é nosso refúgio e nossa força, sempre pronto a nos socorrer em tempos de aflição. Portanto, não temeremos quando vierem terremotos e montes desabarem no mar. Que o oceano estrondeie e espumeje! Que os montes estremeçam enquanto as águas se elevam! (Salmos 46.1-3)
>
> Pois eu o seguro pela mão direita, eu, o Senhor, seu Deus, e lhe digo: "Não tenha medo, estou aqui para ajudá-lo". (Isaías 41.13)
>
> Ele o cobrirá com as suas penas e o abrigará sob as suas asas; a sua fidelidade é armadura e proteção. Não tenha medo dos terrores da noite, nem da flecha que voa durante o dia. (Salmos 91.4-5)
>
> Ainda que um exército me cerque, meu coração não temerá. Ainda que invistam contra mim, permanecerei confiante. (Salmos 27.3)
>
> O Senhor é minha força e meu escudo; confio nele de todo o coração. (Salmos 28.7)
>
> Quando eu tiver medo, porém, confiarei em ti. Louvo a Deus por suas promessas, confio em Deus e não temerei; o que me podem fazer os simples mortais? (Salmos 56.3-4)
>
> Guarda-me, ó Deus, pois em ti me refugio. Eu disse ao Senhor: "Tu és meu Senhor! Tudo que tenho de bom vem de ti". (Salmos 16.1-2)
>
> Quando eu clamo, tu me respondes; coragem e força me dás. (Salmos 138.3)
>
> Então clamo a ti, Senhor, e digo: "Tu és meu refúgio, és tudo que desejo na vida". (Salmos 142.5)

Assim declaramos em nome de Jesus.
Amém.

Ouça "A história de José"

SEMANA 1 **2** 3 4

Lidando com decepções

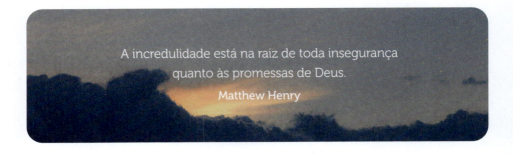

> A incredulidade está na raiz de toda insegurança
> quanto às promessas de Deus.
> Matthew Henry

DIA 1

Promessas de Deus

JOÃO 14.1-3

[Jesus disse:] "Não deixem que seu coração fique aflito. Creiam em Deus; creiam também em mim. Na casa de meu Pai há muitas moradas. Se não fosse assim, eu lhes teria dito. Vou preparar lugar para vocês e, quando tudo estiver pronto, virei buscá-los, para que estejam sempre comigo, onde eu estiver".

Devocional

Quando você pensa sobre situações que podem levá-lo a se desviar da fé, o que lhe vem à mente? Talvez negligenciar repetidamente sua vida de oração? Abandonar alguma outra disciplina espiritual? Pecar e não se arrepender, ou ignorar um mandamento de Deus? Todas essas questões podem causar esfriamento espiritual, mas raramente enxergamos a decepção como um caminho para a incredulidade.

Sempre corremos o risco de que a decepção atrapalhe nossa caminhada de fé quando permitimos que as circunstâncias anulem ou prejudiquem nossa esperança para o futuro. Quando os planos não dão certo, quando as expectativas são frustradas, quando as oportunidades parecem nunca chegar, é então que deparamos com o desafio da fé: conseguiremos confiar nas promessas de Deus, ou nos concentraremos em nossas decepções?

Momentos antes de ser preso, julgado e crucificado, Jesus disse algo desafiador a seus discípulos: "Não deixem que seu coração fique aflito. Creiam em Deus; creiam também em mim". Jesus sabia que eles ficariam desapontados com o desenrolar dos acontecimentos, pois a expectativa dos discípulos era que Jesus fosse o rei esperado que os livraria da opressão de Roma. No entanto, o Senhor cumpriria sua promessa de uma maneira que eles jamais poderiam ter desejado ou mesmo imaginado: morrendo numa cruz.

As Escrituras nos chamam a viver e andar pela fé. E andar pela fé implica confiar em Deus e em suas promessas, mas principalmente implica encontrar plena satisfação em Jesus. Diante da decepção, o Senhor nos oferece a si mesmo. Jesus nos prometeu que podemos experimentar sua presença em meio à dor, sua segurança em meio à incerteza, sua orientação em meio ao caos e à confusão. Quando encontramos Jesus nas decepções, ficamos tão satisfeitos que não desejamos nem procuramos mais coisa alguma. Jesus é puro e bom e, portanto, ele se oferece como o maior bem que podemos alcançar em meio à nossa dor.

Jesus é nosso maior tesouro. Quando entendemos isso, até mesmo o dia mau e a decepção são transmutados, pois se tornam uma oportunidade para que nos aproximemos de Deus. Ele é nossa recompensa. Na casa de nosso Pai há muitos aposentos, e Jesus é o anfitrião da casa. Ele nos conduz à presença de Deus. A intimidade com o Pai é a maior dádiva que podemos receber, evitando que fiquemos à deriva na fé e guardando-nos contra a decepção.

Oração

Pai celestial e amado, como tu és bom! A ti entrego todas as minhas decepções e dores. Nem sempre as coisas acontecem como eu espero, e isso muitas vezes me tenta a abandonar a fé e deixar de confiar em ti. Perdoa-me, Pai, por essa inconstância. Peço-te que me fortaleças a fim de que eu te sirva em todas as estações da vida. Em nome de Jesus. Amém.

Anotações

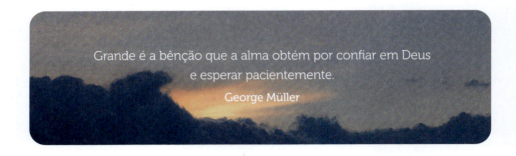

Grande é a bênção que a alma obtém por confiar em Deus e esperar pacientemente.
— George Müller

DIA 2

Planos de esperança

JEREMIAS 29.10-14

Assim diz o Senhor: "Vocês ficarão na Babilônia durante setenta anos. Depois disso, eu virei e cumprirei todas as boas promessas que lhes fiz e os trarei de volta para casa. Porque eu sei os planos que tenho para vocês", diz o Senhor. "São planos de bem, e não de mal, para lhes dar o futuro pelo qual anseiam. Naqueles dias, quando vocês clamarem por mim em oração, eu os ouvirei. Se me buscarem de todo o coração, me encontrarão. Serei encontrado por vocês", diz o Senhor. "Acabarei com seu exílio e os restaurarei. Eu os reunirei de todas as nações para as quais os enviei e os trarei de volta para casa, para sua terra."

Devocional

Não é nada fácil entender por que situações trágicas acontecem como acontecem. Os questionamentos insistem em surgir, embora sejamos instruídos a confiar em Deus e em seu propósito para cada situação, mesmo quando não conseguimos entender. O desânimo que enfrentamos não é diferente da decepção que viveu o jovem profeta Jeremias. Ele estava escrevendo para um povo que passaria setenta anos em exílio. A passagem de hoje, especialmente o versículo 11, é das mais citadas da Bíblia. É claro que Deus tem planos para nos fazer prosperar, e não para nos causar dano. Sem dúvida ele tem para nós um futuro planejado repleto de alegria e contentamento. E, no entanto, ele prometeu ao povo de Israel algo que só aconteceria após uma espera de setenta anos!

Você consegue se apegar às promessas de Deus mesmo em meio ao deserto? Consegue continuar confiando em Deus quando a sensação é de que ele retirou as mãos de sua situação? Jeremias estava preparando o povo para uma longa espera. Talvez naquele momento as palavras tenham causado desânimo, mas é justamente durante a dificuldade que Deus faz a promessa: "Porque eu sei os planos que tenho para vocês [...]. São planos de bem, e não de mal, para lhes dar o futuro pelo qual anseiam. Naqueles dias, quando vocês clamarem por mim em oração, eu os ouvirei."

A mensagem que Deus entregou através de Jeremias é clara: ele tinha grandes planos para seu povo, uma esperança e um futuro. E prometeu que, se o buscarmos de todo o coração, verdadeiramente o encontraremos. Seu plano era fazer o povo prosperar. Nunca foi desejo do Senhor que eles sofressem. Mesmo em meio ao desânimo por causa do exílio e da opressão, Deus os convidava para experimentar dele e oferecia esperança renovada.

Deus está trabalhando para seu bem eterno. Ele tem planos para sua vida, para lhe dar esperança e um bom futuro. Busque o Senhor e descanse plenamente em sua presença. Sempre haverá desânimo neste mundo, mas tenha bom ânimo! O plano de Deus para nos dar esperança e um futuro permanece firme. Nossa esperança deve ser edificada em Jesus Cristo. A decepção pode nos enfraquecer, mas a obediência sempre nos fará transbordar do Espírito Santo.

Oração

Querido Deus e Pai, obrigado porque teus planos são para me fazer prosperar, e não para me causar dano. São planos para me dar esperança e um futuro. Por isso eu te louvo e exalto teu nome. Ajuda-me a nunca menosprezar tua provisão em minha vida, mas que eu sempre tenha olhos abertos para ver cada bênção e cada milagre que derramas sobre mim. Em nome de Jesus. Amém.

Anotações

> É melhor perder a vida por Cristo
> do que desperdiçá-la consigo mesmo.
> John Piper

DIA 3

Portas abertas

APOCALIPSE 3.7-9

[Jesus disse:] "Escreva esta carta ao anjo da igreja em Filadélfia. Esta é a mensagem daquele que é santo e verdadeiro, que tem a chave de Davi. O que ele abre ninguém pode fechar, e o que ele fecha ninguém pode abrir: Sei de tudo que você faz. Abri para você uma porta que ninguém pode fechar. Você tem pouca força, mas ainda assim obedeceu à minha palavra e não negou meu nome. Veja, obrigarei aqueles que pertencem à sinagoga de Satanás — os mentirosos que se dizem judeus, mas não são — a virem, prostrarem-se a seus pés e reconhecerem que amo você".

Devocional

Muitas vezes, nossa tendência como cristãos é acreditar que, se formos fiéis e obedecermos aos mandamentos de Deus, o caminho à nossa frente será suave. Mas não é isso que a Bíblia nos promete. A passagem de hoje nos diz que Deus abre portas que ninguém pode fechar, e que quando Deus fecha uma porta ninguém pode abrir. Portanto, quando ouvimos "não" ou deparamos com orações não atendidas, o que parece a objeção de Deus a nosso pedido pode, na verdade, ser sua proteção divina nos guardando. Uma porta fechada não necessariamente deve representar uma decepção. Deus tem o controle de tudo, e sua ação em nossa vida acontece no tempo e à maneira perfeita dele.

Deus nos ama e quer que vivenciemos os planos e propósitos que ele tem para nós, mesmo que isso implique fechar portas que acreditávamos que ele deveria manter abertas, e abrir portas que nós mesmos teríamos mantido fechadas.

Entenda isto: a proteção divina de Cristo sobre você supera o seu desejo e a sua vontade. A melhor de nossas intenções empalidece diante da vontade de Deus para nossa vida. Repetidamente nas Escrituras, Deus promete não reter nada de bom daqueles que andam em retidão. Somos abençoados quando conhecemos a vontade de Deus e seguimos seus caminhos. Por isso, devemos buscar o Senhor com grande expectativa, cientes de que em sua presença encontramos nosso deleite e de que sua provisão é sempre mais que suficiente para suprir todas as nossas necessidades e desejos.

Quando Deus fecha uma porta que você gostaria que ele abrisse, talvez isso indique que tal oportunidade resultaria em distração. E embora Deus, em sua soberania, deseje sua devoção e louvor até mesmo quando você se encontra confuso, ele também aceita seus questionamentos. O Senhor não se intimida com suas dúvidas. Ele tão somente pede que, quando necessário, saibamos obedecer antes de entender. O chamado que o Senhor lhe entregou é irrevogável, assim como são irrevogáveis os dons que ele lhe concedeu. Ninguém pode fechar uma porta que Deus abriu.

Os planos de Deus para você sempre serão de paz, e suas promessas permanecerão firmes para sempre. Agradeça a Deus pelas portas que ele está claramente abrindo, mas também louve-o pelas portas que ele escolheu fechar. Deus não apenas está em seu caminho. Ele próprio é o caminho. Ele é o único capaz de cumprir a visão que ele tem para você a fim de que você experimente vitória e vida plena.

Oração

Amado Deus e Pai celestial, confio que tu és soberano e que farás todas as coisas para o meu bem. Obrigado, pois nenhum de teus planos pode ser frustrado. Obrigado, pois as portas que tu abres ninguém pode fechar. Escolherei confiar em ti mesmo quando não conseguir enxergar teu agir. Ajuda-me a estar completamente enraizado e fundamentado em ti. Em nome de Jesus. Amém.

Anotações

> Nada neste mundo é mais belo do que uma vida cristã que, a despeito de muitas provações e preocupações, permanece sempre em paz e alegre. Esse é o verdadeiro objetivo da nobre vida cristã.
>
> J. R. Miller

DIA 4

Abalado, mas nunca derrubado

SALMOS 30.1-5

Eu te exaltarei, Senhor, pois me livraste; não permitiste que meus inimigos rissem de mim. Senhor, meu Deus, clamei a ti por socorro, e restauraste minha saúde. Senhor, da sepultura me tiraste e não me deixaste cair na cova da morte. Cantem ao Senhor, todos que lhe são fiéis! Louvem seu santo nome, pois sua ira dura apenas um instante, mas seu favor, a vida inteira! O choro pode durar toda a noite, mas a alegria vem com o amanhecer.

Devocional

Profissionais de autoajuda podem ser úteis para a diminuição do mau humor ou para o enfrentamento de circunstâncias adversas. Mas o que fazer quando os recursos existentes não são suficientes? Emoções como tristeza, autopiedade e desespero podem nos envolver e nos prender, estagnando nossa vida e caminhada cristã. Deus é a força sobrenatural de que precisamos. Ele é aquele que irrompe em meio à nossa dor e declara palavras de vida, proporcionando um bálsamo incomparável quando a decepção procura destruir nossa alegria cotidiana.

Quando estamos bem, decidimos avançar com perseverança. Porém, quando nos sentimos deprimidos, colocamos o foco naquilo que perdemos, e isso nos rouba a alegria e nos impede de confiar no bom plano de Deus para nossa vida. A perspectiva que adotamos pode mudar a forma como reagimos à decepção e a suportamos. Em outras palavras, podemos escolher deixar a decepção nos abalar ou podemos escolher depender de Deus no meio dela. Devemos direcionar nossa decepção para o único capaz de nos trazer resposta e alívio. Deus conhece nossa decepção, mas não nos pede que a menosprezemos ou a ignoremos. Pede simplesmente que a levemos até ele.

Em Salmos 30.5, aprendemos que toda decepção é temporária se a enxergarmos à luz da eternidade. "O choro pode durar toda a noite, mas a alegria vem com o amanhecer." Por maior que seja o desânimo, devemos entender que ele não é permanente e que Deus tem um propósito. Não precisamos deixar que a frustração nos abale, nem ficar presos em nossa dor ou passado. Nossa escolha deve ser confiar no coração de Deus, confiar que ele tem o melhor preparado para nós, e que aquele que começou a boa obra um dia irá conclui-la.

Gradualmente, seu choro dará lugar à alegria, portanto louve o santo nome do Senhor. Jesus está sempre comprometido a trabalhar em nós, restaurando e redimindo nossa vida de tal forma que a dor do passado dê lugar a uma esperança e um propósito eternos. Deus conhece as adversidades pelas quais passaremos, e quando confiamos que ele sabe todas as coisas podemos descansar na certeza de que nossa dor é temporária, mas a presença de Deus é eterna. Nos momentos em que você menos sentir vontade de se aproximar de Jesus, continue andando em direção a ele. Ore, louve e abra o coração com sinceridade. Posicione-se para ser encontrado pelo Senhor enquanto ele o enche com seu poder.

Oração

Senhor Deus e Pai, obrigado por teu Espírito Santo, que trabalha em minha vida. Obrigado, pois tens um plano eterno para mim e posso depender de ti. Ajuda-me a encontrar em ti o sentido de minha existência, com a identidade consolidada em ti, pois és meu Pai celestial e eu sou teu filho amado. Em nome de Jesus. Amém.

Anotações

> Rapidamente nos esquecemos dos grandes livramentos de Deus em nossa vida. Facilmente subestimamos os milagres que ele realizou em nosso passado.
> David Wilkerson

DIA 5

Onde a decepção cresce

SALMOS 23.1-6

O Senhor é meu pastor, e nada me faltará. Ele me faz repousar em verdes pastos e me leva para junto de riachos tranquilos. Renova minhas forças e me guia pelos caminhos da justiça; assim, ele honra o seu nome. Mesmo quando eu andar pelo escuro vale da morte, não terei medo, pois tu estás ao meu lado. Tua vara e teu cajado me protegem. Preparas um banquete para mim na presença de meus inimigos. Unges minha cabeça com óleo; meu cálice transborda. Certamente a bondade e o amor me seguirão todos os dias de minha vida, e viverei na casa do Senhor para sempre.

Devocional

Não raro acontece de notarmos uma lacuna entre o que esperávamos que Deus fizesse e o que de fato experimentamos como realidade em nossa vida. E é nesse espaço entre as expectativas que nutríamos para o futuro e aquilo que temos de administrar como realidade no presente que a decepção pode crescer. Nosso cotidiano muitas vezes perde o brilho em comparação com nossas expectativas, e a decepção se instala em nosso coração. Você já passou por isso?

Em caso afirmativo, o salmo de hoje nos dá ânimo com a promessa de que o Senhor não é apenas nosso Salvador, mas também nosso pastor que nada nos deixa faltar. O termo original para a palavra "falta" conota a ideia de "estar sem", "tornar-se completamente vazio". Se creio que o Senhor é meu pastor, então posso ter certeza de que nunca ficarei totalmente vazio. Não viverei desapontado mesmo quando houver uma lacuna entre o que esperava e o que de fato tenho. Como, então, deixamos Jesus ser nosso bom pastor a fim de que superemos a lacuna entre a expectativa e a realidade de nossa vida?

Antes de qualquer coisa, devemos refletir e pedir a Deus que nos mostre o que ele quer nos ensinar com o sentimento de decepção. Existe algo que ele quer revelar nessa aparente falta? Como posso ser grato agora, mesmo que ainda não tenha visto o que esperava? Ao agradecer a Deus por quem ele é e pelo que ele faz em nossa vida, nós enfraquecemos a decepção e impedimos que ela crie um abismo maior, que distorça nossa visão e nos afaste de Deus.

Deus sempre nos guiará, e é por isso que podemos ser confiantes mesmo em meio à frustração e à confusão, determinando-nos a enxergar sua bondade a todo tempo. Por intermédio da Bíblia, ele nos guiará pelos caminhos da justiça, aplainando-os a fim de que, passo a passo, possamos usufruir dos frutos e experimentar restauração em nossa vida. Temos um bom pastor que se agrada em nos guiar, e ele nos guia por caminhos retos, a fim de nos dar descanso e vigor para continuarmos adorando seu santo nome e habitando em sua casa para sempre.

Oração

Amado Senhor Jesus, obrigado porque és meu pastor e de nada tenho falta. Obrigado por me fazeres repousar em pastos verdejantes e me conduzires a águas tranquilas. Obrigado, pois és quem me refrigera a alma e me guia pelo caminho de retidão, por amor de teu nome. Que meu coração seja sempre grato. Em teu santo nome. Amém.

Anotações

> A justiça de Cristo é maior que os pecados de todos os homens, sua vida é mais forte que a morte, sua salvação é mais invencível que o inferno.
>
> Martinho Lutero

DIA 6

Decepcionado com a morte

JOÃO 11.32-42

Assim que chegou ao lugar onde Jesus estava e o viu, caiu a seus pés e disse: "Se o Senhor estivesse aqui, meu irmão não teria morrido". Quando Jesus viu Maria chorar, e o povo também, sentiu profunda indignação e grande angústia. "Onde vocês o colocaram?", perguntou. Eles responderam: "Senhor, venha e veja". Jesus chorou. As pessoas que estavam por perto disseram: "Vejam como ele o amava!". Outros, porém, disseram: "Este homem curou um cego. Não poderia ter impedido que Lázaro morresse?". Jesus, sentindo-se novamente indignado, chegou ao túmulo, uma gruta com uma pedra fechando a entrada. "Rolem a pedra para o lado", ordenou. "Senhor, ele está morto há quatro dias", disse Marta, a irmã do falecido. "O mau cheiro será terrível." Jesus respondeu: "Eu não lhe disse que, se você cresse, veria a glória de Deus?". Então rolaram a pedra para o lado. Jesus olhou para o céu e disse: "Pai, eu te agradeço porque me ouviste. Tu sempre me ouves, mas eu disse isso por causa de todas as pessoas que estão aqui, para que elas creiam que tu me enviaste".

Devocional

Em sua caminhada com Jesus, você já se sentiu decepcionado com Deus mesmo sabendo que é teologicamente impossível que ele desaponte seus filhos? Talvez isso se deva a uma resposta tardia a uma oração, ou quem sabe a decepção resulte da sensação de que Jesus não atenderá a seus pedidos. É natural que surja o desânimo quando parece que Deus se esquivou de nossas orações. O mesmo pode ocorrer quando, muito embora saibamos que o Criador do universo é capaz de mudar uma circunstância difícil, ele simplesmente nada faz.

Essa foi a experiência de Maria e Marta na passagem de hoje. Seu irmão Lázaro estava morto e já havia sido enterrado, com o túmulo selado. Marta desistiu da intervenção divina e iniciou o processo de luto, aceitando a morte do irmão. Uma vez que Jesus não havia chegado a tempo de curá-lo, ela concluiu que nada mais poderia ser feito. No entanto, aquele não era o plano de Jesus. As irmãs haviam desistido por completo, mas Jesus moveu a pedra e ordenou a Lázaro que saísse do túmulo. Sem dúvida, o lamento doloroso se transformou em um grito de alegria. Como aquilo era possível? Lázaro havia morrido, e agora estava vivo! Jesus não ignorou a decepção das irmãs, nem desconsiderou sua mágoa. Ele não estava ausente, nem as havia abandonado. Ele tinha um propósito e um plano ao escolher adiar a manifestação de seu poder.

Em nosso cotidiano, Deus pode adiar intencionalmente sua ação, e é imperativo, enquanto esperamos, que aprendamos a não desistir nem a ceder a sentimentos de desespero e desilusão. Deus pode transformar a dor momentânea em um milagre, se tão somente escolhermos confiar nele e em seu tempo perfeito. Jesus nunca deixa de se importar conosco. Ele age sempre de forma deliberada e faz todas as coisas para a glória de seu Pai. Jesus tinha um plano para Lázaro naquela época, a despeito do que sentiam Marta e Maria, e Jesus tem um plano para você agora. Permaneça firme, tenha bom ânimo e veja a bondade de Jesus em sua vida. Ele é poderoso e sempre fiel, qualquer que seja a estação de vida em que você se encontre. Não raro, as lágrimas precedem os milagres, e a fé sempre nos permite testemunhar a fidelidade de Deus.

Oração

Querido Deus e Pai, sou tão grato pela atenção que tu dispensas a mim! Descanso em tua graça, reivindico tua paz e me agarro à esperança que está disponível para mim por causa de teu sacrifício na cruz. Obrigado por teu Filho, que venceu a morte e por meio de quem tudo é possível. Em nome de Jesus. Amém.

Anotações

> Uma porção diária é realmente tudo de que precisamos. Não precisamos do suprimento de amanhã, pois esse dia ainda não raiou e as necessidades que ele traz ainda não existem.
> Charles H. Spurgeon

DIA 7

A contínua provisão de Deus

FILIPENSES 4.19-23

E esse mesmo Deus que cuida de mim lhes suprirá todas as necessidades por meio das riquezas gloriosas que nos foram dadas em Cristo Jesus. Agora, toda a glória seja a Deus, nosso Pai, para todo o sempre! Amém. Transmitam minhas saudações a cada um do povo santo em Cristo Jesus. Os irmãos que estão comigo também mandam lembranças. Todo o povo santo daqui lhes envia saudações, especialmente os que pertencem à casa de César. Que a graça do Senhor Jesus Cristo seja com o espírito de vocês.

Devocional

Hoje lemos uma promessa encorajadora para aqueles que se consagram a Deus e se comprometem a entregar tudo o que têm. É uma promessa de Deus vinculada ao uso de nossos dons em seu serviço. Infelizmente, muitas pessoas tratam Filipenses 4.19 como um cheque em branco a ser usado em qualquer situação e a qualquer momento. O texto não é uma promessa segundo a qual Deus erradicará todos os nossos problemas. Antes, está associado com algo que Jesus disse anteriormente em seu ministério: dê e lhe será dado. O Senhor honra a generosidade. É verdade que a salvação é um dom gratuito e nada podemos fazer para merecê-la. Ainda assim, a maneira como agimos após a salvação pode nos levar a receber mais ao longo da jornada cristã, pois a medida com que nos dispomos a Jesus é a medida que dele também receberemos.

Paulo enfatiza essa verdade ao celebrar a igreja em Filipos por lhe dar uma oferta generosa e sacrificial quando ele precisou de ajuda. Paulo sentia imensa gratidão, não necessariamente por causa do presente útil que havia recebido, mas por causa do que aquilo significava para Deus. Uma vez que o Senhor se agradou daquela oferta, Paulo estava confiante de que ele retribuiria àqueles irmãos e lhes supriria as necessidades. Deus é nossa fonte e nosso sustento, e Paulo sabia disso. Quando se refere a "esse mesmo Deus que cuida de mim", ele está apontando para sua intimidade com o Senhor, pois Deus não é um Deus distante. Ele é um Pai presente que se importa com tudo o que sentimos: nossas emoções, nossas decepções, nossas dúvidas.

Muitas vezes queremos que Deus atenda a todos os nossos desejos, mas em nenhum momento ele prometeu isso. O que ele de fato promete é suprir nossas necessidades. São tantos os nossos desejos neste mundo, mas Paulo quer nos ensinar que na verdade há poucas necessidades quando Jesus é a fonte de nossa vida. Deus Pai nos supre de acordo com suas riquezas em Cristo Jesus. Somos tentados por muitas riquezas, mas nenhuma delas se compara às riquezas de Cristo. Reflita hoje: Jesus é suficiente para mim? Realmente acredito que ele suprirá todas as minhas necessidades? Plante seus pés com firmeza e profundidade no solo da Palavra de Deus, para que você possa dizer com confiança: Sim, eu creio! Deus, o seu Pai, nunca deixará que nada lhe falte.

Oração

Senhor Deus e Pai, obrigado por suprires todas as minhas necessidades. Eu confio que o que tens para me dar é mais do que suficiente. Quando retiveres algo, eu confiarei. Quando me deres, serei grato. E, quando pedires o que tenho, entregarei e receberei o que tu tens para mim, com confiança renovada e gratidão. Em nome de Jesus. Amém.

Anotações

DEUS É BOM

Se você pudesse descrever a Deus com suas próprias palavras, o que diria?

Na Bíblia, são vários os adjetivos que descrevem o Senhor. Um deles se refere a sua bondade: Deus é bom! Em 1Crônicas 16.34, lemos: "Deem graças ao Senhor, porque ele é bom; seu amor dura para sempre!".

Isso pode parecer bastante básico, mas saber que Deus é bom é um fundamento importante que nos ajuda a nos posicionarmos diante de sentimentos como medo, ansiedade e decepção. Ao discutir esses sentimentos, muitas vezes deixamos de reconhecer a importância de lembrar e refletir continuamente sobre essa verdade. Embora seja importante considerar o medo que estamos enfrentando, ainda mais importante é ter uma firme compreensão da bondade de Deus.

Meditar sobre a bondade de Deus é combustível para nossa fé. Enfocar sua bondade é um modo de combater o medo e restaurar a confiança. Afinal, nossas circunstâncias não ditam o desfecho de nossa vida, e Deus sempre tem a palavra final.

Guardar na mente a bondade de Deus firma nossa confiança em seu amor, cuidado e fidelidade. Em tempos de medo, devemos contemplar fixamente a bondade eterna de nosso amado Senhor.

Ouça "A história de Elizabeth Elliot"

SEMANA

Provações e tentações

> Aprendamos a olhar para as coisas do alto. Contemplar as coisas como Deus as vê vence o pecado, confronta Satanás, dissolve as perplexidades, eleva-nos acima das provações, separa-nos do mundo e supera o medo da morte.
>
> A. B. Simpson

DIA 1

Paciência nas provações

TIAGO 1.1-4

Eu, Tiago, escravo de Deus e do Senhor Jesus Cristo, envio esta carta às doze tribos espalhadas pelo mundo. Saudações. Meus irmãos, considerem motivo de grande alegria sempre que passarem por qualquer tipo de provação, pois sabem que, quando sua fé é provada, a perseverança tem a oportunidade de crescer. E é necessário que ela cresça, pois quando estiver plenamente desenvolvida vocês serão maduros e completos, sem que nada lhes falte.

Devocional

Muitos de nós cometemos o erro de julgar a qualidade de nossa vida e fidelidade de Deus com base em eventos isolados, em vez de nos concentrarmos no bem mais amplo que Deus está tecendo em meio à situação que vivemos. Este é um dos maiores paradoxos da vida: nossa compreensão da esperança aumenta ou diminui conforme cremos ou não que Deus trabalha naquilo que não podemos ver ou compreender como bom.

Na passagem de hoje, constatamos que há épocas em que Deus permite que sejamos provados, a fim de testar a resiliência de nossa fé. Embora tomados de desconforto e, às vezes, de confusão, é a dor que experimentamos que desencadeia o processo de crescimento em nossa vida, ensinando-nos a paciência e a perseverança. Isso resulta em um aprofundamento de nossas raízes e um amadurecimento da fé em Jesus, que não se desenvolveria de outra maneira. Se não virmos a provação que estamos enfrentando como dádiva, pensaremos nela como maldição, injustiça ou castigo. Em vez disso, devemos buscar a ajuda do Senhor nas provações. Além de nos equipar e capacitar para superar a luta, ele também nos capacita para testemunhar aos outros de sua fidelidade, à medida que reconhecemos sua mão em todas as coisas.

Talvez você se encontre em uma temporada de adversidade, com provações e tentações bombardeando-o de todos os lados. Tiago nos diz que Deus promete desenvolver nosso caráter e podar tudo aquilo que nos impeça de amadurecer e de nos tornar completos nele. Deixe que essas verdades lhe sejam ministradas hoje, à medida que o Espírito Santo fortalece sua determinação de continuar caminhando com os olhos fixos no Senhor. Esteja certo de que sua provação tem um propósito e de que sua dor será redimida. Permita que Deus trabalhe em você e por seu intermédio, para que saia desse processo transformado conforme a imagem de Cristo e repleto da esperança do alto. Lembre-se: alegria não é a ausência de sofrimento, mas a presença de Jesus em sua vida.

Oração

Doce Espírito Santo, peço-te que me capacites a permanecer fiel em tempos de provação e a suportar todas as coisas, para que eu me entregue integralmente a ti e à missão e à mensagem de teu reino. Em nome de Jesus. Amém.

Anotações

> Quem me dera ser liberto de mim. Quem me dera perder-me em ti.
> Quem me dera não ser mais eu, mas Cristo vivendo em mim!
> John Owen

DIA 2

Lidando com a tentação

SALMOS 37.28-34

Pois o Senhor ama a justiça e jamais abandonará seu povo fiel. Ele sempre os protegerá, mas os filhos dos perversos serão destruídos. Os justos possuirão a terra e nela habitarão para sempre. O justo oferece conselhos sábios e ensina o que é certo. Guarda no coração a lei de Deus, por isso seus passos são firmes. O perverso fica à espreita do justo e procura matá-lo. O Senhor, porém, não deixará que o perverso tenha sucesso, nem condenará o justo quando ele for julgado. Ponha sua esperança no Senhor e ande com firmeza pelo caminho dele. Ele o honrará e lhe dará a terra, e você verá os perversos serem destruídos.

Devocional

A tentação acomete a todos nós. Ela pode surgir de diferentes formas para cada um, mas a intenção do inimigo é sempre a mesma: atrapalhar, distrair e fazer que os cristãos esfriem em seu relacionamento com Deus e uns com os outros. Se o diabo nos induz a julgar as lutas de outras pessoas porque são diferentes das nossas, acabamos criando desconexão e rupturas em nossos relacionamentos. No enfrentamento de nossas fraquezas, podemos sentir que a dificuldade específica com a qual estamos lutando é única, e que somos os primeiros a passar por aquilo. Desse modo, cria-se um círculo vicioso de vergonha e condenação em nossa vida. Esses sentimentos são efeitos nocivos de nossa inconstância na fé.

Na passagem de hoje, Davi exorta seus ouvintes a que permaneçam firmes quando forem tentados. E o caminho para isso é guardando a lei de Deus escrita em nosso coração. À medida que as promessas de Deus se destacam nas páginas da Bíblia, as acusações e tentações do diabo vão desaparecendo de nossa mente e a voz de Jesus vai sendo amplificada em nossa circunstância. Podemos nos render à vontade de Deus em vez de nos submeter às tentações do diabo quando declaramos as promessas do Senhor guardadas em nosso coração. Devemos decorar e orar a Palavra: "Não nos deixes cair em tentação, mas livra-nos do mal". Quando essas palavras saem de nossa língua, os dardos do inimigo são impedidos de penetrar nosso coração e nossa mente.

Ao resistir aos esquemas do diabo, nós nos recusamos a permitir que ele nos faça sentir inadequados diante de Deus. Em vez disso, permitimos que Jesus nos cubra com sua justiça, alimentando nossa fé e nos edificando espiritualmente. Lembre-se: toda tentação vem acompanhada de um escape. O diabo não tem o poder de nos comandar, portanto tudo o que ele pode fazer é nos dar sugestões. No final, o legado que você deixará é determinado pelas decisões que tomou ao longo da vida. Portanto, ore por sabedoria, recorrendo à Palavra de Deus para fazer as escolhas certas que inevitavelmente levarão a resultados que honrem a Deus, glorifiquem seu nome e expandam a causa de seu reino.

Oração

Querido Deus e Pai, obrigado por nos teres dado tua Palavra como arma contra o inimigo. Nossa guerra não é contra carne e sangue, mas contra as forças e os poderes invisíveis desta era maligna. Que sejamos perspicazes e sábios neste tempo e vivamos de maneira consagrada a ti e comprometida com teus caminhos. Em nome de Jesus. Amém.

Anotações

> O vigor de nossa vida espiritual está na proporção exata do lugar que a Bíblia ocupa em nossa vida e em nossos pensamentos.
> George Müller

DIA 3

A primeira oportunidade de ser tentado

MATEUS 4.1-11

Em seguida, Jesus foi conduzido pelo Espírito ao deserto para ser tentado pelo diabo. Depois de passar quarenta dias e quarenta noites sem comer, teve fome. O tentador veio e lhe disse: "Se você é o Filho de Deus, ordene que estas pedras se transformem em pães". Jesus, porém, respondeu: "As Escrituras dizem: 'Uma pessoa não vive só de pão, mas de toda palavra que vem da boca de Deus'". Então o diabo o levou à cidade santa, até o ponto mais alto do templo, e disse: "Se você é o Filho de Deus, salte daqui. Pois as Escrituras dizem: 'Ele ordenará a seus anjos que o protejam. Eles o sustentarão com as mãos, para que não machuque o pé em alguma pedra'". Jesus respondeu: "As Escrituras também dizem: 'Não ponha à prova o Senhor, seu Deus'". Em seguida, o diabo o levou até um monte muito alto e lhe mostrou todos os reinos do mundo e sua glória. "Eu lhe darei tudo isto", declarou. "Basta ajoelhar-se e adorar-me." "Saia daqui, Satanás!", disse Jesus. "Pois as Escrituras dizem: 'Adore o Senhor, seu Deus, e sirva somente a ele'." Então o diabo foi embora, e anjos vieram e serviram Jesus.

Devocional

Desde a infância, as pessoas aprendem a usar a imaginação para escapar da realidade, muitas vezes fantasiando as coisas de maneira quase transcendente. Alguém pode, por exemplo, projetar as interações de uma obra de ficção, imaginando-se no enredo e convencendo-se de que aquilo se tornou realidade. A verdade é que somos capazes de condicionar nossa mente a escapar dos limites de nosso presente e conceber uma alternativa idealizada para a vida. Quando adultos, esse mesmo dom da imaginação pode nos desencaminhar para lugares perigosos, abrindo espaço para que o inimigo se instale e abale nossos fundamentos com tentações cada vez mais criativas e engenhosas.

A boa notícia é que Jesus foi tentado como nós, em todos os sentidos. Quando nos sentimos pressionados e esmagados pela vergonha que pesa sobre nossos ombros, Jesus, nosso advogado fiel e grande consolador, inunda nosso coração e nos traz à mente a tentação que ele mesmo enfrentou nas mãos do diabo ao final de seu jejum pelo deserto. Satanás procurou plantar na mente de Jesus a imagem de um futuro diferente, que poderia levar nosso Senhor a se desviar dos propósitos que seu Pai tinha para ele. Naquele momento, Jesus estava com fome, vulnerável e aparentemente sozinho. No entanto, Jesus, a Palavra viva, tinha a voz de seu Pai escrita no coração e, embora não houvesse ninguém fisicamente ao seu lado, espiritualmente ele tinha tudo de que precisava. Mesmo quando estamos desorientados, sem saber o que fazer no meio da luta contra tentações, podemos recorrer a Cristo, e sua Palavra se tornará viva em nós.

Não precisamos esperar ouvir a voz do Pai para resistir à tentação, pois toda a Bíblia foi inspirada por Deus. Jesus nos mostra que precisamos simplesmente conhecê-la. Somos abençoados, pois temos livre acesso à Palavra. No entanto, a disposição para ler suas páginas e guardá-la no coração pode ser um problema. No dia de hoje, escolha convidar Jesus para o lugar onde você se sente tentado, e use a Bíblia como arma para se livrar das acusações do diabo e das tentativas de desarmar sua confiança no Deus vivo. Diante de fantasias que trazem falso consolo, fortaleça-se intencionalmente no Senhor e permaneça na verdade. Assim você estará suficientemente enraizado e continuará de pé quando surgirem as dificuldades.

Oração

Amado Senhor Jesus, obrigado por seres a Palavra viva e me apoiares em meus momentos de provação e tentação. Que eu me entregue cada dia mais à leitura da Bíblia. Ajuda-me a achar nela meu contentamento e meu fortalecimento espiritual. Ajuda-me a seguir em frente na fé, para que minhas obras demonstrem meu compromisso contigo e meu desejo de crescer em santidade. Em nome de Jesus. Amém.

Anotações

> Tenha mais medo dos pecados do que dos sofrimentos.
> Sob o sofrimento, a alma pode manter-se tranquila.
> Porém, quando um homem peca voluntariamente, perde toda a sua paz.
> Thomas Watson

DIA 4

Uma perspectiva diferente sobre a dor

JOÃO 9.1-5

Enquanto caminhava, Jesus viu um homem cego de nascença. Seus discípulos perguntaram: "Rabi, por que este homem nasceu cego? Foi por causa de seus próprios pecados ou dos pecados de seus pais?". Jesus respondeu: "Nem uma coisa nem outra. Isso aconteceu para que o poder de Deus se manifestasse nele. Devemos cumprir logo as tarefas que nos foram dadas por aquele que me enviou. A noite se aproxima, quando ninguém pode trabalhar. Mas, enquanto estou aqui no mundo, eu sou a luz do mundo".

Devocional

Se tentássemos prever, uns para os outros, como reagiríamos a circunstâncias difíceis e desafiadoras, é de supor que nossa resposta se basearia no tamanho do obstáculo à frente. Na verdade, porém, o resultado será mais provavelmente determinado por nossas perspectivas. Se o foco tende a estar em nós mesmos ou nos outros, nossa resposta será pautada por instabilidade, insegurança e incerteza. As Escrituras, por sua vez, nos ensinam que, se decidirmos ir a Jesus, ele pode redirecionar nossa perspectiva.

É isso que vemos Jesus fazendo com seus discípulos na passagem de hoje, ao mudar a perspectiva deles sobre por que provações, problemas e tribulações aparecem na vida cotidiana. Jesus usa o cego de nascença como estudo de caso, para demonstrar que nosso sofrimento tem um propósito, mesmo quando não conseguimos determiná-lo. Seja o que for que estejamos enfrentando, de uma coisa podemos ter certeza: Deus está usando isso para que suas obras sejam conhecidas e ele receba a glória. Enquanto os discípulos olhavam para o começo da vida do cego, Cristo queria apontá-los para o futuro.

Uma mudança de perspectiva é muitas vezes do que precisamos para obter clareza e aprofundar o entendimento sobre determinadas questões, inclusive em níveis que não conheceríamos se não tivéssemos passado pelas dificuldades. A dor sempre tem um propósito maior em nossa vida, e raramente é um propósito que podemos compreender por inteiro quando ainda estamos em meio ao revés.

Você pode estar passando por uma temporada desafiadora neste momento, e é tentador olhar para dias melhores, enquanto se pergunta por que aquilo está acontecendo. No entanto, Jesus quer fazer por nós o que ele fez pelos discípulos. Quer que olhemos para a frente e nos perguntemos: Qual é o propósito dessa dor? Como Deus será glorificado nisso? E como posso honrar a Deus com minha reação a esses tempos desafiadores? Escolha olhar para cima e se concentrar no futuro, mantendo a esperança de que Deus usará sua vida de modo que ela glorifique a Jesus e você seja moldado cada vez mais à imagem de Cristo.

Oração

Querido Deus e Pai, eleva meus pensamentos na direção de tudo o que é puro, verdadeiro e louvável. Limpa meu coração, Senhor. Que minha mente esteja cheia de teus pensamentos e meu coração, cheio do Espírito Santo. Senhor, eu humildemente peço-te que te aproximes de mim, invadas meu coração e me movas a fim de que eu produza mais frutos para teu reino. Em nome de Jesus. Amém.

Anotações

> Oh, sangue de Cristo, que refúgio és tu para uma consciência atribulada e para um espírito ferido! Oh, amor de Deus, que lugar de repouso és tu para o triste e cansado!
> Horatius Bonar

DIA 5

Passando pelo Getsêmani

MATEUS 26.36-39

Então Jesus foi com eles a um lugar chamado Getsêmani e disse: "Sentem-se aqui enquanto vou ali orar". Levou consigo Pedro e os dois filhos de Zebedeu e começou a ficar triste e angustiado. "Minha alma está profundamente triste, a ponto de morrer", disse ele. "Fiquem aqui e vigiem comigo." Ele avançou um pouco, curvou-se com o rosto no chão e orou: "Meu Pai! Se for possível, afasta de mim este cálice. Contudo, que seja feita a tua vontade, e não a minha".

Devocional

Glynnis Whitwer, irmã em Cristo, conta que certa vez, durante a Ceia do Senhor, mergulhou seu pedaço de pão no suco de uva. Ao provar a textura do pão e beber o suco, buscou trazer à memória o sacrifício expiatório de Cristo por ela na cruz e contemplar a fidelidade do Senhor. Foi então que, súbito, sentiu o gosto amargo do suco de uva que havia acabado de ingerir. Aquele amargor a distraiu de sua meditação, e ela ansiou desesperadamente por um gole de água ou um pouco de café a fim de tirar aquele gosto de sua boca. Naquele momento, a devota seguidora de Jesus entendeu que Deus havia gravado uma frase em seu coração e mente: "Sofra comigo por um tempo".

É preocupante quando sempre queremos remover de nossa vida aquilo que é desconfortável e desagradável, uma vez que as coisas de maior valor não são conquistadas sem esforço. Muito custa o que muito vale. E não podemos nos esquecer do sofrimento de Jesus e querer seguir em frente dentro de nossa zona de conforto. Se agirmos sempre dessa maneira, acabaremos esfriando o coração em relação a Cristo e deixaremos de lhe obedecer no momento da adversidade.

Na passagem de hoje, enquanto Jesus se prepara para ir à cruz, Pedro, Tiago e João escolhem o conforto da conveniência em lugar do desconforto da obediência. Os discípulos são instruídos a vigiar, esperar e batalhar em oração, intercedendo por Jesus e pela missão que ele está prestes a cumprir. Mas, enquanto Jesus se vê sobrecarregado de tristeza profunda, os discípulos não conseguem sequer ficar acordados. Não uma, não duas, mas três vezes Jesus volta de sua oração e encontra seus amigos dormindo. Para eles, foi o sono que os desviou do pedido de Cristo e os impediu de serem achados fiéis na obediência. E para você? Há algo impedindo que você obedeça a Jesus? Se algo ou alguém ameaça alterar sua sensação de conforto e conveniência, como você reage?

No dia de hoje, considere o que Jesus pode estar pedindo que você sacrifique pela causa de seu reino. Quando decidimos deixar a conveniência e o conforto de lado a fim de servir a Jesus em sacrifício e entrega, somos espiritualmente edificados e alcançamos maior maturidade. E, mais importante, permanecemos unidos a Cristo, assemelhando-nos a seu próprio sofrimento e modelando uma vida de amor e serviço ao próximo.

Oração

Amado Senhor Jesus, quero me espelhar em ti, que foste obediente até a morte. Ajuda-me a crescer em obediência e fidelidade, ó Deus. És tudo que eu quero, e tudo de que preciso. Perdoa-me por dormir quando deveria estar obedecendo. Ajuda-me a apontar aos outros essa mesma necessidade que eles têm de ti, e mostrar-lhes que tu és capaz de suprir todo e qualquer anseio de seu coração. Em teu precioso nome. Amém.

Anotações

Uma vida gasta no serviço de Deus e em comunhão com ele é a mais prazerosa que alguém pode ter neste mundo.
Matthew Henry

DIA 6

Vivendo em uma cultura de tentação

1CORÍNTIOS 10.6-13

Tais coisas aconteceram como advertência para nós, a fim de que não cobicemos o que é mau, como eles cobiçaram, nem adoremos ídolos, como alguns deles adoraram. Segundo as Escrituras, "todos comeram e beberam e se entregaram à farra". E não devemos praticar a imoralidade sexual, como alguns deles praticaram, e morreram 23 mil pessoas num só dia. Também não devemos pôr Cristo à prova, como alguns deles puseram, e foram mortos por serpentes. E não se queixem como alguns deles se queixaram, e foram destruídos pelo anjo da morte. Essas coisas que aconteceram a eles nos servem como exemplo. Foram escritas como advertência para nós, que vivemos no fim dos tempos. Portanto, se vocês pensam que estão de pé, cuidem para que não caiam. As tentações em sua vida não são diferentes daquelas que outros enfrentaram. Deus é fiel, e ele não permitirá tentações maiores do que vocês podem suportar. Quando forem tentados, ele mostrará uma saída para que consigam resistir.

Devocional

Em nossa caminhada de fé, todos nós passamos por períodos em que velhos hábitos ressurgem e pontos de apoio se tornam fortalezas em nossa vida. Diferentes tipos de gatilho podem nos desencaminhar para padrões e condutas nada saudáveis. Como parar de escorregar? Como derrubar as fortalezas do inimigo e permanecer firme nas palavras da inabalável verdade de Deus? Em 1Coríntios 10.13, o apóstolo Paulo nos mostra alguns princípios a respeito de como alcançar vitória mesmo quando estamos sendo atacados e cercados pelas tentações.

Em primeiro lugar, devemos lembrar que não somos indivíduos isolados, mas estamos inseridos em uma comunidade. "As tentações em sua vida não são diferentes daquelas que outros enfrentaram", escreve o apóstolo. Nossa tendência é manter nossas lutas em segredo, mas quando nos abrimos com outros vemos que temos muitas dificuldades em comum, e isso nos permite compartilhar nossa jornada de fé em um ambiente seguro.

Em segundo lugar, uma vez que não podemos depender de nossa própria fidelidade ou da de outras pessoas, devemos nos apegar à fidelidade imutável e inabalável de Deus. Ainda no versículo 13, Paulo escreve que Deus é fiel e não permitirá que sejamos tentados acima do que conseguimos suportar. Em outras palavras, nosso Pai celestial não permitirá que seus filhos passem por uma situação da qual não possam sair. Ao contrário, quando somos tentados, ele sempre nos oferece um caminho para que suportemos a dificuldade. Ou seja, sempre há uma saída.

Deus sabe que muitas vezes buscamos exatamente aquilo que nos mantém escravizados. Você será tentado, mas isso não é pecado. O pecado é ceder à tentação, é colocar mais fé e esperança na atividade pecaminosa do que no Salvador que alcançou libertação por nós na cruz. Uma libertação na qual somos instruídos a descansar em plena comunhão com Cristo, para permanecermos santos, fiéis e comprometidos com os padrões de Deus e impedir que o inimigo ache brechas em nossa vida. Se os deslizes na obediência estão se tornando recorrentes, e o que você tinha sob controle agora o controla, aproxime-se de Cristo. Ele promete se aproximar de você.

Oração

Amado Senhor Jesus, tu és minha esperança e minha alegria, e eu te agradeço por teres me trazido até aqui. Peço-te que me uses para apoiar os outros em seus momentos de provação e tentação. Que eu seja um ouvido atento, uma presença reconfortante e um instrumento de teu amor para as pessoas ao meu redor que precisam de ti. Em teu nome. Amém.

Anotações

> Uma masmorra com Cristo é um trono,
> e um trono sem Cristo é um inferno.
> Martinho Lutero.

DIA 7

Seduzido pela satisfação

COLOSSENSES 1.3-12

Sempre oramos por vocês e damos graças a Deus, o Pai de nosso Senhor Jesus Cristo, pois temos ouvido falar de sua fé em Cristo Jesus e de seu amor por todo o povo santo, que vêm da esperança confiante naquilo que lhes está reservado no céu. Vocês têm essa expectativa desde que ouviram pela primeira vez a verdade das boas-novas. Agora, as mesmas boas-novas que chegaram até vocês estão se propagando pelo mundo todo. Elas têm crescido e dado frutos em toda parte, como ocorre entre vocês desde o dia em que ouviram e compreenderam a verdade sobre a graça de Deus. Vocês aprenderam as boas-novas por meio de Epafras, nosso amado colaborador. Ele é servo fiel de Cristo e nos tem ajudado em favor de vocês. Ele nos contou do amor que o Espírito lhes tem dado. Por isso, desde que ouvimos falar a seu respeito, não deixamos de orar por vocês. Pedimos a Deus que lhes conceda pleno conhecimento de sua vontade e também sabedoria e entendimento espiritual. Então vocês viverão de modo a sempre honrar e agradar ao Senhor, dando todo tipo de bom fruto e aprendendo a conhecer a Deus cada vez mais. Oramos também para que sejam fortalecidos com o poder glorioso de Deus, a fim de que tenham toda a perseverança e paciência de que necessitam. Que sejam cheios de alegria e sempre deem graças ao Pai. Ele os capacitou para participarem da herança que pertence ao seu povo santo, aqueles que vivem na luz.

Devocional

Familiaridade, certeza, conforto. Esses são termos que todos nós gostaríamos de usar para descrever nosso dia a dia. Se pudéssemos definir a vida como fácil e confortável, não desejaríamos que isso mudasse. Mas e se essas características que tantas vezes desejamos para nós forem, na verdade, uma combinação perigosa que nos prende à complacência e à estagnação? E se o conforto for exatamente o que impede o progresso de nosso chamado?

Ao longo das Escrituras, somos inundados com histórias sobre Deus tirando as pessoas de sua zona de conveniência e conforto e, em lugar disso, chamando-as para uma missão que só poderia ser cumprida com o auxílio divino. Deus quer nos ajudar a cumprir nosso propósito. Em Colossenses 1.11, ele nos faz uma promessa incrível. O Senhor diz que seremos fortalecidos pelo grande poder de Deus, para que não desistamos quando as provações e os problemas surgirem, e, em vez disso, mostremos paciência. O desconforto certamente não é algo agradável, mas Deus nos promete que, com o tempo, nossa inconveniência será substituída por algo bom.

Há uma frase que diz: "Pessoas deixadas em um lugar complacente por muito tempo ficam contaminadas como vinho impuro". Pensando nisso, escolha saborear a xícara do desconforto hoje, para não se afogar na desolação que acompanha a complacência amanhã. Deus está muito mais interessado em podar, moldar e refinar nossa vida do que em nos manter em um estado de conforto e estagnação. Se você está lutando hoje, lembre-se que Deus não está podando você para sua destruição. A poda é resultado do desejo dele de desenvolver sua vida e amadurecer sua fé.

Não se engane: ser embalado por uma falsa sensação de conforto é pior do que passar pelo processo de amadurecimento e poda que muitas vezes vem por meio de provações e tribulações. Deus encherá você com o Espírito Santo à medida que o transforma na pessoa que ele deseja que você seja, para que possa seguir em frente e cumprir seu chamado, pela causa do reino de Deus e para que a glória dele seja revelada.

Oração

Senhor Deus e Pai, confesso que nem sempre é fácil sair da zona de conforto, mas quando bebo profundamente de tua presença sou saciado com tudo de que preciso para fazer o que me chamaste para fazer. Fortalece-me, Senhor, para estar diariamente em tua presença. Libera sobre mim mais de tua graça e misericórdia, e eu retornarei à fonte da salvação, onde minha sede e meus anseios são satisfeitos. Em nome de Jesus. Amém.

Anotações

ORAÇÃO DE ARREPENDIMENTO E RESTAURAÇÃO

Senhor,

Entro hoje em tua presença, para pedir auxílio e consolo. A luta contra o pecado em minha vida tem me deixado cansado, e me sinto distante de ti. Quando escolho meu próprio caminho, meus pés me levam para lugares errados. Quantas vezes tenho ouvido conselhos ímpios, em vez de encher a mente de tua santa Palavra. O resultado é que não tenho vivido em toda a plenitude que tu preparaste para mim.

Ó Deus, restaura aquele primeiro amor em meu coração. Pois quando caminhei contigo fui conduzida pelas veredas da vida plena. Dá-me um coração humilde perante teu senhorio, e não permita mais que tuas verdades sejam esquecidas e desprezadas por causa de tentações e enganos. Não quero viver afastado de ti.

Perdoa-me, Pai, por deixar que meus pensamentos saiam de controle, em vez de levá-los cativos a Cristo e confessá-los a ti. Racionalizar, encobrir ou tentar justificar o pecado nunca funciona. Agir assim só faz que o pecado se arraigue mais profundamente, dando brechas para os ataques do inimigo.

Tu me criaste à tua própria imagem. Conheces cada pensamento meu antes que eu os fale. Sondas meu coração e vês as intenções por trás de minhas desculpas. E tua Palavra alerta sobre a destruição do pecado e o engano do coração.

Ó Senhor, eu me arrependo por toda vez que ignorei teu conselho. Hoje eu me achego a ti arrependido, buscando teu perdão e restauração.

Confesso minha necessidade e dependência de ti. Só tu podes me curar e salvar. E sei que encontrarei o que preciso, porque, se confessarmos nossos pecados, tu és fiel e justo para nos perdoar e nos purificar de toda injustiça (1João 1.9).

Assim, Senhor, eu te rogo por perdão hoje com meus lábios e de todo o meu coração. Quero seguir em outra direção, Senhor, caminhando junto a ti. Ajuda-me, Deus. Guia-me.

O Espírito Santo se aproxima de mim. O Espírito Santo lava meus pecados. O Espírito Santo me faz novo!

Em nome de Jesus. Amém.

 Ouça Mateus 4

SEMANA 1 2 3 **4**

Encorajamento nas Escrituras

> Sem amor, a verdadeira santidade é impossível; então, oro para que meu amor pelos outros cresça.
> Andrew Murray

DIA 1

Construindo uma vida sábia

PROVÉRBIOS 19.8-11

Quem adquire bom senso ama a si mesmo; quem dá valor ao entendimento prospera. A testemunha falsa não ficará sem castigo; o mentiroso será destruído. Não é certo o tolo viver no luxo nem o escravo governar sobre príncipes. O sensato não perde a calma, mas conquista respeito ao ignorar as ofensas.

Devocional

De alguns anos para cá, é possível notar algumas mudanças pelas quais passamos como sociedade, de forma geral. Atravessamos um período de isolamento, medo e incerteza, lidando com o desconhecido e com a morte. Em paralelo, também nos tornamos uma população mais sensível, que se ofende facilmente por motivos diversos, e isso tem nos afastado uns dos outros. Em meio a esse contexto, talvez concluamos que não precisamos de pessoas à nossa volta. Mas isso está longe de ser verdade.

O Senhor nos criou para que estabelecêssemos vínculos significativos uns com os outros. Assim, quando nos afastamos uns dos outros, quando nos sentimos constantemente ofendidos, talvez estejamos sendo vítimas de uma estratégia do inimigo contra a obra de Deus. Em Provérbios 19.11, lemos que "o sensato não perde a calma, mas conquista respeito ao ignorar as ofensas". Essa é uma pérola de sabedoria, uma verdade que devemos ler e reler, a fim de que, ao passar por épocas difíceis, consigamos preservar nossos relacionamentos, sejam eles familiares, profissionais ou de amizade.

O capítulo 19 de Provérbios, como um todo, aborda a construção de uma vida de discernimento e sabedoria. A ideia de "conquistar respeito", no verso 11, sinaliza crescimento e maturidade. A pessoa madura é aquela que entende a diferença entre dor e ofensa. Quando feridos, necessitamos de cura. Quando nos sentimos ofendidos, porém, cabe a nós tão somente deixar aquilo para trás. Refletir e separar o que é dor e o que é ofensa nos ajuda a saber como seguir em frente.

O primeiro passo é entregar a ferida a Deus, pois algumas dores só o Senhor pode curar. O segundo passo requer deixar a mágoa ir: precisamos superar as ofensas que sofremos e nos recusar a viver ofendidos. Todos nós ansiamos por crescimento espiritual e emocional em nossa vida. É verdade que somos frágeis e lidamos com situações e emoções que nos desafiam, mas somos chamados para ser mais fortes que as nossas emoções, e não para viver como reféns delas.

Reflita sobre suas ações e reações em seus relacionamentos. Talvez alguém precise de seu perdão neste momento, ou talvez você precise pedir perdão a alguém. Que você saiba abrir mão da ofensa sofrida, tendo a certeza de que Deus fortalecerá seu coração para perdoar. Quando entendemos nossa pequenez diante da grandeza de Deus, entendemos que o orgulho não pode ter espaço em nosso coração. Escolhendo esse caminho, você experimentará a glória de Deus e amadurecerá na fé.

Oração

Amado Deus e Pai, obrigado por tua graça e misericórdia sem fim. Eu entrego a ti qualquer ofensa que tenho guardado, para que possa ser instrumento de teu perdão e amor às pessoas à minha volta. Enche-me do Espírito Santo e conduze-me a uma vida de santidade. Em nome de Jesus. Amém.

Anotações

> Os santos perseverarão na santidade porque Deus persevera na graça.
> Charles H. Spurgeon

DIA 2

Um chamado à perseverança

HEBREUS 10.32-39

Lembrem-se dos primeiros dias, quando foram iluminados, e de como permaneceram firmes apesar de muita luta e sofrimento. Houve ocasiões em que foram expostos a insultos e espancamentos; em outras, ajudaram os que passavam pelas mesmas coisas. Sofreram com os que foram presos e aceitaram com alegria quando lhes foi tirado tudo que possuíam. Sabiam que lhes esperavam coisas melhores, que durarão para sempre. Portanto, não abram mão de sua firme confiança. Lembrem-se da grande recompensa que ela lhes traz. Vocês precisam perseverar, a fim de que, depois de terem feito a vontade de Deus, recebam tudo que ele lhes prometeu. "Pois em breve virá aquele que está para vir; não se atrasará. Meu justo viverá pela fé; se ele se afastar, porém, não me agradarei dele." Mas não somos como aqueles que se afastam para sua própria destruição. Somos pessoas de fé cuja alma é preservada.

Devocional

Você já teve a sensação de que suas circunstâncias atuais não correspondem aos sonhos em seu coração? Como se as coisas ao redor estivessem impedindo você de dar o próximo passo? Às vezes a lentidão das coisas nos frustra. Quando procuramos, por exemplo, desenvolver um ministério ou guiar nossos filhos até seu próximo marco de desenvolvimento, facilmente ficamos impacientes com o processo e questionamos se deveríamos tentar outras estratégias. Pode ser que esse seja de fato o caminho, mas recomeçar ou mudar de método nem sempre é a resposta certa. O Senhor não desperdiça nenhuma circunstância, e, na maioria das vezes, nossa situação atual é o ambiente perfeito para o crescimento que Deus quer promover em nossa vida.

Talvez a frustração do emprego que você já não ama seja o meio que Deus quer usar para impulsioná-lo para algo maior. Em Hebreus 10.36, somos exortados: "Vocês precisam perseverar, a fim de que, depois de terem feito a vontade de Deus, recebam tudo que ele lhes prometeu". Há uma promessa reservada para nós quando fazemos a vontade de Deus. Pode parecer que a agitação do dia a dia esteja deixando você sem tempo para realizar a obra de Deus, mas e se nossa perspectiva estiver errada? E se for exatamente nas tarefas que estão ocupando nossos dias que Deus quer nos encontrar? Certamente, se aprendermos a procurá-lo onde estamos plantados hoje, estaremos mais bem preparados para continuar cumprindo o chamado dele amanhã.

Os cristãos hebreus, destinatários da carta, enfrentavam dura perseguição, e não há dúvida de que foram tentados a escapar da situação. No entanto, Deus estava usando aquela tribulação para fortalecê-los como comunidade, desenvolvendo sua resiliência e confiança. O escritor bíblico sabia que aqueles obstáculos eram oportunidades de crescimento e que dali sairiam lições importantes para a obra que Deus queria que eles cumprissem.

Pode ser que Deus esteja fazendo o mesmo em sua vida neste exato momento. Suas atuais circunstâncias podem estar equipando você para o futuro que Deus tem preparado. Sinta-se encorajado. Não deixe que os desafios do dia a dia o prendam apenas ao desejo de chegar à próxima estação. Apegue-se à Palavra de Deus, e saiba que ele o sustenta. Ele não o preparou para falhar. Seja qual for a dificuldade que você esteja enfrentando hoje, faça tudo para a glória de Deus, e ele estará com você a cada passo, até um futuro vitorioso.

Oração

Senhor Deus, confesso que há momentos em que luto para me manter firme em tuas promessas. Renova em mim a revelação de quem tu és, para que minha confiança em tuas promessas e em tua fidelidade seja renovada. Que eu persevere em teus caminhos a cada dia e encontre deleite em tua presença. Segura-me e sustenta-me neste tempo de espera. Em nome de Jesus. Amém.

Anotações

_____

_____

_____

_____

> A confiança não é um estado passivo da mente.
> É um ato vigoroso da alma pelo qual escolhemos nos apoiar
> nas promessas de Deus e nos apegar a elas a despeito
> das adversidades que por vezes buscam nos esmagar.
>
> Jerry Bridges

DIA 3

Deus, o cumpridor de promessas

SALMOS 143.1-12

Ouve minha oração, Senhor; escuta minha súplica! Responde-me, pois és fiel e justo. Não leves teu servo a julgamento, pois diante de ti ninguém é inocente. Meu inimigo me perseguiu; derrubou-me no chão e obrigou-me a morar em trevas, como as do túmulo. Vou perdendo todo o ânimo; estou tomado de medo. Lembro-me de tempos passados; reflito em todas as tuas obras e penso em tudo que fizeste. Levanto minhas mãos a ti em oração; anseio por ti, como a terra seca tem sede de chuva.

Interlúdio

Vem depressa, Senhor, e responde-me, pois meu ânimo se esvai. Não te afastes de mim, ou morrerei. Faze-me ouvir do teu amor a cada manhã, pois confio em ti. Mostra-me por onde devo andar, pois me entrego a ti. Livra-me de meus inimigos, Senhor, pois me refugio em ti. Ensina-me a fazer tua vontade, pois tu és meu Deus. Que o teu Espírito bondoso me conduza adiante por um caminho reto e seguro. Pela honra do teu nome, Senhor, preserva minha vida. Por tua justiça, tira-me deste sofrimento. Por teu amor, acaba com meus inimigos e destrói meus adversários, pois sou teu servo.

Devocional

As lutas e o sofrimento ao longo da vida são inevitáveis e podem nos fazer questionar em quem podemos confiar. Existe alguém que realmente cumpre todas as promessas? Nesse salmo de Davi, vemos que a resposta é sim. Davi nos mostra que o Senhor é confiável em tudo o que faz e é fiel a todas as suas promessas. Se alguma vez você já experimentou a dor de uma promessa quebrada, essa passagem traz uma esperança única e certa para qualquer circunstância adversa.

Davi conhecia as promessas de Deus. A exemplo dele, devemos lembrar e guardar esse conhecimento em nosso coração. Afinal de contas, quem somos nós para que Deus nos faça promessas? Ainda assim, em seu amor por nós, ele nos fez muitas delas. E elas não estão ocultas ou secretas. Nós podemos encontrá-las facilmente nas páginas das Escrituras. Deus não é homem para mentir. Deus é santo, perfeito, infalível. Quando Deus nos faz uma promessa, ela se cumprirá por causa de seu caráter e de sua soberania insondável.

Deus é digno de confiança. Davi tinha certeza de que podia contar que o Senhor cumpriria suas promessas. Somente ele é totalmente confiável e fiel. Deus já cumpriu a maior de suas promessas ao enviar Jesus para morrer em nosso lugar e, assim, nos dar vida eterna com ele. Se Deus cumpriu essa grandiosa promessa por amor a nós, como podemos duvidar que ele cumprirá todas as outras que nos fez? Deus é fiel para todo o sempre. Não apenas ocasionalmente ou quando ele decide ser. Deus é fiel em todo momento, pois isso é parte de seu caráter. Deus é fiel àqueles que ele ama. É totalmente dedicado a seus filhos, e seu amor é eterno.

Sim, a vida é um desafio. Jesus nos avisou isso quando disse que no mundo passaríamos por aflições. As pessoas nos decepcionam, e, por mais que tentemos, nós também por vezes acabamos descumprindo nossa palavra. Mas, aconteça o que acontecer, podemos estar seguros nesta verdade profunda: Deus nunca quebrará suas promessas. Nunca. Ele é fiel e digno de confiança. Deus fará exatamente o que disse que fará. E podemos nos sentir completamente seguros diante de seus maravilhosos planos para nós!

Oração

Amado Senhor Deus, obrigado por seres um cumpridor de promessas. Apego-me à verdade de que, embora eu não saiba exatamente como, sei que estás sempre agindo enquanto eu espero. Pai, tu conduzes todas as coisas para que tua glória seja manifestada em minha vida. Que assim seja, a fim de que muitos possam vir a conhecer-te como Senhor e Salvador. Em nome de Jesus. Amém.

Anotações

> A generosidade não nos faz merecer a vida eterna,
> mas revela onde está nosso coração.
> John Piper

DIA 4

Amar o próximo e a nós mesmos

MATEUS 22.34-40

Sabendo os fariseus que Jesus tinha calado os saduceus com essa resposta, reuniram-se novamente para interrogá-lo. Um deles, especialista na lei, tentou apanhá-lo numa armadilha com a seguinte pergunta: "Mestre, qual é o mandamento mais importante da lei de Moisés?". Jesus respondeu: "'Ame o Senhor, seu Deus, de todo o seu coração, de toda a sua alma e de toda a sua mente'. Este é o primeiro e o maior mandamento. O segundo é igualmente importante: 'Ame o seu próximo como a si mesmo'. Toda a lei e todas as exigências dos profetas se baseiam nesses dois mandamentos".

Devocional

Algumas passagens das Escrituras são mais complexas e difíceis de compreender. A ordem de Jesus para que amemos o próximo como a nós mesmos, por exemplo, pode causar alguma confusão. Afinal, muitas pessoas tendem a odiar a si mesmas ao invés de amar. Para obedecermos ao comando de Jesus, portanto, precisamos entender o que é esse amor a si mesmo. Jesus introduz esse conceito quando lhe perguntam qual era o maior mandamento da lei.

Jesus responde falando do amor a Deus e ao próximo, e a palavra aqui traduzida por "amor" tem um significado mais profundo do que sentimentos de carinho por alguém ou por nós mesmos. Em seu sentido original, o termo sugere ação. Trata-se de ser benevolente com o outro e levar em consideração o bem-estar dele. Com base nessa definição, amar a si mesmo vai além de sentir-se bem consigo, pois nem sempre nos sentiremos assim. Antes, significa agir em prol do cuidado próprio.

Da mesma maneira que amamos a nós mesmos e buscamos nosso próprio bem, assim também devemos amar o próximo. Jesus faz referência aqui a dois versículos do Antigo Testamento, dos livros de Deuteronômio e Levítico. Com base no significado de "próximo" extraído de Levítico, os ouvintes de Jesus entenderiam "próximo" como qualquer israelita ou estrangeiro que fosse acolhido e vivesse dentro da comunidade de Israel. No entanto, Jesus expande essa definição para qualquer pessoa que necessite de ajuda. Jesus nos instrui a ir além em nosso amor. E seu mandamento é para que demonstremos esse amor à pessoa que está bem à nossa frente.

É fácil ler as palavras de Jesus e deixá-las ali, impressas no papel. Mas, para que elas ganhem poder em nossa vida, precisamos colocá-las em prática. Certamente há pessoas em sua vida que necessitam de sua atenção e cuidado. Pense em maneiras de preocupar-se com o bem-estar delas hoje, amando-as e cuidando delas como você ama e cuida de si mesmo. Ao fazê-lo, estará dando continuidade ao fluir do amor que começou em Deus, que nos amou primeiro. Esse é um amor pelo qual vale a pena viver.

Oração

Querido Pai celestial, peço-te que me capacites a amar mais e melhor. Em especial, que eu te ame acima de todas as coisas, não só com meus lábios, mas também com minhas mãos. Que esse seja o principal objetivo de minha vida. Conduze-me por esse caminho totalmente louco aos olhos do mundo, a fim de que eu seja luz nas trevas, brilhando e transbordando teu infinito amor. Em nome de Jesus. Amém.

Anotações

> Não é possível estar perto de Deus e não pensar nos perdidos. Eles estão sempre presentes nos pensamentos do Senhor.
> Randy Alcorn

DIA 5

A verdade que transforma vidas

ATOS 3.1-8

Certo dia, por volta das três da tarde, Pedro e João foram ao templo orar. Um homem, aleijado de nascença, estava sendo carregado. Todos os dias, ele era colocado ao lado da porta chamada Formosa, para pedir esmolas a quem entrasse no templo. Quando ele viu que Pedro e João iam entrar, pediu-lhes dinheiro. Pedro e João se voltaram para ele. "Olhe para nós!", disse Pedro. O homem fixou o olhar neles, esperando receber alguma esmola. Pedro, no entanto, disse: "Não tenho prata nem ouro, mas lhe dou o que tenho. Em nome de Jesus Cristo, o nazareno, levante-se e ande!". Então Pedro segurou o aleijado pela mão e o ajudou a levantar-se. No mesmo instante, os pés e os tornozelos do homem foram curados e fortalecidos. De um salto, ele se levantou e começou a andar. Em seguida, caminhando, saltando e louvando a Deus, entrou no templo com eles.

Devocional

Todos nós somos confrontados com perguntas difíceis, questionamentos profundos sobre a vida que podem até nos assombrar. Será que Deus me vê? Deus é realmente bom? Se ele é bom, por que há tantas dores no mundo e em minha vida, sem que ninguém passe por mim e procure me ajudar? Nesses momentos ansiamos por alguém que se disponha a parar, nos notar e tocar a dor de nossa vida. Alguém que entre em nossa luta com empatia e nos dê algum auxílio.

Na passagem de hoje, Pedro e João fazem exatamente isso ao depararem com um aleijado junto à porta do templo. Eles param, notam aquele homem e decidem lhe estender as mãos. Eles não tinham riquezas, mas tinham a capacidade de valorizar o próximo: "Não tenho prata nem ouro, mas lhe dou o que tenho". Com a autoridade do nome de Jesus, ordenam ao homem que ande. Não o deixam para trás, mas o ajudam, oferecendo-lhe uma mão amiga. E Pedro tinha não só uma mão para oferecer, mas também estima para dar a um homem desprezado por todos à sua volta.

Os dois discípulos entenderam que valia a pena tocar o homem em necessidade. Aquele homem precisava, acima de tudo, de alguém que o enxergasse como uma pessoa feita à imagem de Deus. Ele tinha muito a oferecer. Tendo se levantado, foi para o pátio do templo louvando e exaltando a grandeza e o poder de Deus. Esse acontecimento nos lembra que nós também podemos nos pôr em pé. Podemos proclamar a grandeza e o poder de Deus. Podemos louvá-lo, independentemente do que estejamos enfrentando no momento.

Fomos salvos e somos amados, e Deus tem um plano agradável e perfeito para nós. Deus quer usar outras pessoas para nos ajudar a ver isso, e ele quer nos usar para ajudar outros a verem a si mesmos desse modo. Não duvide do poder que uma pessoa tem de alcançar a vida de outra com palavras ditas em amor e proclamadas em nome de Jesus Cristo. Tais palavras têm o poder de pôr alguém em pé novamente.

Oração

Senhor Deus, obrigado por nos teres dado todo o poder e toda a autoridade no nome de Jesus, por meio do Espírito Santo. Peço-te que desenvolvas em meu coração o dom da compaixão e da empatia, para que eu possa ver pessoas com o espírito revigorado e a vida reerguida. Quero viver o sobrenatural de ti, Senhor, e ser um vaso de honra em tua casa. Em nome de Jesus. Amém.

Anotações

_____
_____
_____
_____
_____
_____
_____
_____

> Nunca tenha medo de confiar um futuro desconhecido a um Deus conhecido.
> Corrie ten Boom

DIA 6

Confiando nossas dúvidas a Deus

SALMOS 9.1-10

Eu te louvarei, Senhor, de todo o meu coração; anunciarei as maravilhas que fizeste. Por causa de ti, me alegrarei e celebrarei; cantarei louvores ao teu nome, ó Altíssimo. Meus inimigos recuaram; tropeçaram e morreram diante de tua presença. Pois julgaste meu direito e minha causa; de teu trono julgaste com justiça. Repreendeste as nações e destruíste os perversos; apagaste o nome deles de uma vez por todas. O inimigo está acabado, arruinado para sempre; arrasaste suas cidades e elas caíram em esquecimento. O Senhor, porém, reina para sempre; de seu trono, executa o julgamento. Julgará o mundo com justiça e governará as nações com imparcialidade. O Senhor é abrigo para os oprimidos, refúgio em tempos de aflição. Quem conhece teu nome confia em ti, pois tu, Senhor, não abandonas quem te busca.

Devocional

Você já se flagrou nutrindo sentimentos de desconfiança para com Deus? Aplaudimos sem demora seus mandamentos quando eles estão alinhados a nossos desejos, mas quando seus decretos mudam a direção de nossos passos ou desafiam nossas decisões, acabamos nos sentindo frustrados e tomados de dúvida. É como se déssemos ouvidos às instruções de Deus, mas questionássemos suas intenções. Embora desejemos o auxílio da sabedoria do Senhor, por vezes nos sentimos confusos ao longo do caminho.

Precisamos repetidamente lembrar que Deus quer o nosso bem, e que ele nunca está contra nós. Ele é nosso ajudador, nosso protetor, nosso Pai sempre presente, e quer desfrutar de nossa companhia. No entanto, se não conhecemos o caráter de Deus bem o suficiente, teremos dificuldade para confiar em seus conselhos. O salmo de hoje nos lembra que a confiança não é simplesmente a ausência de dúvida. A confiança precisa crescer com base em uma relação de intimidade. Davi declara: "Quem conhece teu nome confia em ti, pois tu, Senhor, não abandonas quem te busca". A palavra original que Davi usa para "conhecer" não significa apenas conhecimento intelectual, mas implica um entendimento íntimo adquirido por meio da experiência pessoal.

Armados dessa verdade, podemos concentrar nossas energias em nossa experiência com Deus, em vez de tentar erradicar cada uma de nossas dúvidas. Podemos nos concentrar menos nos mistérios de seu conselho e mais nas certezas de seu caráter. Ao permanecer firmes na Palavra de Deus e atentos à sua fidelidade, ouviremos sua voz doce, a qual podemos confiar nosso coração.

Crescemos no conhecimento do Senhor à medida que buscamos sua presença e mergulhamos em sua Palavra. Com o tempo, poderemos comprovar a verdade expressa pelo salmista: conhecer e confiar em Deus são duas coisas que andam lado a lado. Preste atenção às formas como o amor de Deus se manifesta em sua vida. É mais fácil confiar em Deus com todo o nosso coração quando conhecemos intimamente o coração dele. Que privilégio imenso é poder conhecer o coração do Deus criador de todo o universo!

Oração

Amado Deus, eu te amo. Quero confiar em ti de todo o meu coração, pois tu és digno. E também quero sempre lembrar a verdade da cruz: que tu morreste por mim, porque me amaste e me compraste por um alto preço. Louvo teu nome, pois ressuscitaste e derramaste o Espírito Santo para habitar em mim. Que eu viva como o filho amado que sou, seguro nessa verdade. Em nome de Jesus. Amém.

Anotações

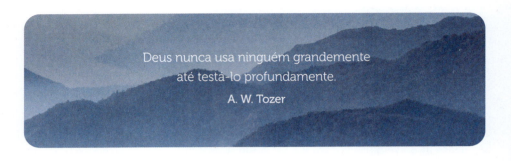

> Deus nunca usa ninguém grandemente
> até testá-lo profundamente.
> A. W. Tozer

DIA 7

Quebrantados para um propósito

LUCAS 22.14-20

Quando chegou a hora, Jesus e seus apóstolos tomaram lugar à mesa. Jesus disse: "Estava ansioso para comer a refeição da Páscoa com vocês antes do meu sofrimento. Pois eu lhes digo agora que não voltarei a comê-la até que ela se cumpra no reino de Deus". Então tomou um cálice de vinho e agradeceu a Deus. Depois, disse: "Tomem isto e partilhem entre vocês. Pois não beberei vinho outra vez até que venha o reino de Deus". Tomou o pão e agradeceu a Deus. Depois, partiu-o e o deu aos discípulos, dizendo: "Este é o meu corpo, entregue por vocês. Façam isto em memória de mim". Depois da ceia, Jesus tomou o cálice de vinho e disse: "Este é o cálice da nova aliança, confirmada com o meu sangue, que é derramado como sacrifício por vocês".

Devocional

Estudos mostram que conforto e segurança são dois dos fatores mais relevantes da vida. Por vezes, porém, não nos damos conta de que, ao optar pelo que é mais seguro, também corremos o risco de perder bênçãos espirituais e heranças eternas. Não conseguimos imaginar as bênçãos que nos aguardam quando passamos por um quebrantamento, mesmo que provocado por Deus. O próprio Jesus passou por esse processo. Na Última Ceia, ele partiu o pão com seus discípulos como anúncio de seu iminente sofrimento e morte, o partir de seu próprio corpo. Explicou a eles que ofereceria a própria vida, e que não há amor maior do que este: dar a vida por seus amigos.

Quando Lucas descreve essa refeição em seu Evangelho, ele registra uma frase que não consta nos outros Evangelhos: "Tomou o pão e agradeceu a Deus. Depois, partiu-o e o deu aos discípulos, dizendo: 'Este é o meu corpo, entregue por vocês. Façam isto em memória de mim'". Muitos acreditam que essa instrução de Jesus trata de algo além do ato de cear, referindo-se também à maneira como devemos viver. Porque o corpo de Jesus foi quebrado e porque seu sangue foi derramado por nós, nós também devemos viver diariamente para ele, quebrantados e derramados a seus pés. Em outras palavras, Jesus está nos convidando para uma vida de entrega e sacrifício.

Em Mateus 16.25, Jesus diz: "Se tentar se apegar à sua vida, a perderá. Mas, se abrir mão de sua vida por minha causa, a encontrará". Nosso maior desejo deve ser que a vontade de Deus seja feita, e não a nossa. Jesus nos convida a morrer para nós mesmos, para que possamos viver cada dia e cada momento para ele. É preciso sair de nossas confortáveis salas de estar e da segurança de nossa rotina a fim de sabermos o que significa ser quebrado por amor aos outros.

O que aconteceria se entendêssemos de coração que, quando Jesus diz "façam isto", ele está nos convidando para uma vida alegre de humildade, generosidade e sacrifício? E se abraçássemos a verdade de que as provações fortalecem a fé? De que a dor pode nos tornar mais compassivos? Sim, o sofrimento pode nos aproximar de Cristo, e nós devemos viver uma vida derramada por Cristo, como ele fez por nós. Para isso, é preciso ter fé. Fazer essa oração é demonstrar coragem, mas podemos nos alegrar no fato de que bênçãos mais profundas de Deus estão à nossa espera.

Oração

Amado Senhor Deus, oro corajosamente para que tu quebrantes meu coração a teus pés. Que eu entregue minha vida pelas mesmas causas e pelos mesmos propósitos que tocam teu coração. Que tua vontade se cumpra em minha vida. Conduze-me por caminhos de retidão e deixa-me ser testemunha e exemplo a todos os que buscam a ti. Em nome de Jesus. Amém.

Anotações

_____
_____
_____
_____
_____
_____

POEMA: "O NOSSO DEUS RUGE"

A incerteza se levantou, munida da nossa incapacidade e relativismo;
Ergueu-se como uma grande sombra sobre todos nós.
Sorrateira, permeia nossa alma,
Tentando entrar e desviar-nos de ti, Senhor.
Mas o céu ainda está sobre nossa cabeça,
E a tua soberania ainda ruge.

O medo se espalha, e quantas perguntas temos feito?
E os que amamos? Que poderemos fazer por eles?
Perguntas, imensas perguntas rondam nossa mente,
E outras tantas gritam aí fora.
Nosso burburinho é a alma inquieta, tomada pela percepção de nossa insignificância.
Mas então lembramos de Jesus orando por nós, pouco antes de morrer.
Lembramos de seu convite de fardos leves e entregas,
E o seu amor ainda ruge.

Chega a noite, e nosso sono, antes fácil, reluta.
Há um breu lá fora, assim como há penumbras constantes em nossas certezas.
Os céus mostram suas nuvens carregadas, tal qual nosso coração.
Mas os raios e seus clarões chegam também,
E a chuva forte e constante nos fala de seu poder.
Escutem os trovões!
Sim, o teu poder ainda ruge.

Ajoelhados nos colocamos, estamos clamando ao Deus de nossa salvação,
Mesmo com pernas trêmulas, olhares marejados, corações apertados.
Lutamos conosco, contra nossa ansiedade,
E os pecados que querem se erguer contra nossa fé.
Mas há um beija-flor na janela e pássaros ao redor, cantando.
Há crianças gargalhando, bichanos para afagarmos, horizontes que ninguém pode nos tirar.
A tua graça ainda ruge.

Se, gritando, vem o terror, histérico e descompensado pelo nosso fraquejar,
Ainda assim veremos nosso Deus rugir.
Se afetados foram nosso sono e certezas,
Se prioridades se fazem difíceis de escolher,
Ainda assim veremos nosso Deus rugir.
Se sem opção e recurso estamos expostos,
Se os sonhos frágeis que sonhamos estão caindo em sua finitude,
Ainda assim veremos nosso Deus rugir.

O nosso Deus irá calar a calamidade dentro de nós.
Jogados e calados aos seus pés, ele nos colocará debaixo de suas asas,
E nos dará amparo e esperança.
O nosso Deus ruge!
Ouçam todos, porque nenhuma voz poderá se opor à dele,
Caladas ficarão!
Nada pode vencer ou nos tirar a esperança que ele nos deixou.

Mirelli de Oliveira Turossi Torres

Ouça a meditação "Lamentar e confiar"

TEMA 3

Virtudes bíblicas

SEMANA **1** 2 3 4

Santidade

> O fim destinado ao homem não é felicidade nem saúde,
> mas, sim, santidade. O alvo de Deus é a produção de santos.
> Oswald Chambers

DIA 1

Santidade antes de felicidade

SALMOS 128.1-6

Como é feliz aquele que teme o Senhor, que anda em seus caminhos! Você desfrutará o fruto de seu trabalho; será feliz e próspero. Sua esposa será como videira frutífera que floresce em seu lar. Seus filhos serão como brotos de oliveiras ao redor de sua mesa. Esta é a bênção do Senhor para aquele que o teme. Que o Senhor o abençoe desde Sião. Que você veja a prosperidade de Jerusalém enquanto viver. Que você viva para ver seus netos. Que Israel tenha paz!

Devocional

Muitos cristãos passam boa parte de sua vida à procura de felicidade. Em meio a essa busca, não raro sentimos alguma medida de culpa, por parecer um desejo autocentrado ou até egoísta. De fato, com base na doutrina cristã e no ensino da Bíblia, devemos mesmo questionar o que é mais importante: a busca pela felicidade ou a busca pela santidade. A alegria espiritual e a felicidade por vezes parecem se opor uma à outra. A alegria é percebida como sagrada, e a felicidade, como passageira e secular.

No entanto, à medida que crescemos na maturidade cristã, entendemos também que obedecer a Jesus, seguindo seu caminho e vivendo de acordo com seu governo e reinado, permite que encontremos a felicidade e a alegria de conhecê-lo. Deus quer que sejamos abençoados e felizes, e que nossa fonte de alegria e felicidade seja encontrada nele. Na verdade, ao estudar as Escrituras, notamos que não faz sentido distinguir alegria e felicidade. Repetidamente Jesus nos diz que nos alegremos e demos graças constantemente, convidando-nos a sermos felizes nele. Como expressou a autora Alli Worthington, "Deus nos projetou para buscarmos nele a felicidade e desejarmos que nele esteja a fonte dessa felicidade".

A passagem bíblica de hoje nos oferece uma receita de santidade e felicidade. Ela nos encoraja não só ao contentamento diante das circunstâncias, como também à conexão e à intimidade com Jesus e nossos irmãos em Cristo. À medida que abraçamos aqueles à nossa volta e com eles nos conectamos de maneira significativa e autêntica, experimentamos profundo contentamento e crescemos em santidade, o que resulta em nossa felicidade final.

Assim escreve o salmista: "Como é feliz aquele que teme o Senhor, que anda em seus caminhos!". Ao cultivar o hábito da gratidão, viver em comunidade e comunicar a verdade de Deus ao nosso coração, seremos abençoados e prósperos, daremos muito fruto e experimentaremos paz e prosperidade. Você não precisa escolher entre ser feliz e santo. Uma dádiva flui da outra. Interligado e entrelaçado no tecido de nossa vida, está o chamado para sermos santos e o convite para sermos felizes.

Oração

Amado Deus e Pai, ajuda-me a ter verdadeiro contentamento em ti. Anseio ver-te com mais clareza e dedicar-me a ti plenamente. Espírito Santo, por favor, guia-me a todo instante, para que eu possa viver em santidade e felicidade. Que meu coração transborde em gratidão. Em nome de Jesus. Amém.

Anotações

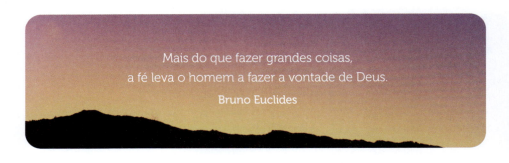

> Mais do que fazer grandes coisas,
> a fé leva o homem a fazer a vontade de Deus.
> Bruno Euclides

DIA 2

Instruções para viver em santidade

HEBREUS 12.11-17

Nenhuma disciplina é agradável no momento em que é aplicada; ao contrário, é dolorosa. Mais tarde, porém, produz uma colheita de vida justa e de paz para os que assim são corrigidos. Portanto, revigorem suas mãos cansadas e seus joelhos enfraquecidos. Façam caminhos retos para seus pés a fim de que os mancos não caiam, mas sejam fortalecidos. Esforcem-se para viver em paz com todos e procurem ter uma vida santa, sem a qual ninguém verá o Senhor. Cuidem uns dos outros para que nenhum de vocês deixe de experimentar a graça de Deus. Fiquem atentos para que não brote nenhuma raiz venenosa de amargura que cause perturbação, contaminando muitos. Vigiem para que ninguém seja imoral ou profano, como Esaú, que trocou seus direitos como filho mais velho por uma simples refeição. Como vocês sabem, mais tarde, quando ele quis a bênção do pai, foi rejeitado. Era tarde para que houvesse arrependimento, embora ele tivesse implorado com lágrimas.

Devocional

Ao longo dos séculos 16 e 17, os antigos puritanos da Inglaterra foram frequentemente acusados de viverem desconectados e separados das realidades cotidianas. No livro *O vale da visão*, uma compilação de orações puritanas que instruem a igreja de Deus a buscar a pureza e uma vida santa, encontramos uma oração de questionamento: "Pois, se eu não andar santo diante de Deus, como posso ter certeza de que vou para o céu?".

Os versículos de hoje respondem a essa pergunta. "Esforcem-se para viver em paz com todos e procurem ter uma vida santa, sem a qual ninguém verá o Senhor", afirma o autor de Hebreus. Ele não está dizendo que não iremos para o céu ou não ganharemos um lugar na eternidade caso não vivamos em paz com todos e não busquemos a santidade. O que acontecerá é que não veremos o Senhor. Nosso objetivo final é ver Deus, conhecê-lo profundamente e a ele nos render por completo. A maior recompensa que um cristão recebe é conhecer o Senhor. Porque é a presença de Deus e sua glória o que fomos projetados para carregar, experimentar e contemplar em nossa vida, a fim de encontrar a verdadeira realização e o sentimento de completude e propósito.

Às vezes, nosso pecado nos deixa entorpecidos ou cegos para a grandeza e a glória de Deus. Com isso, as coisas do mundo tomam o lugar de Deus no trono de nosso coração. Toda a atenção que devotamos pode estar acorrentada a amores menores, que nos incentivam a buscar os prazeres terrenos, em vez das realidades eternas. O que o autor de Hebreus deseja é lembrar-nos de voltar os olhos para o Senhor e fazer dele o objetivo de nossa vida. Quando isso ocorre passamos a refletir sua glória ao mundo e apresentamos nosso Pai celestial a outros.

Entretanto, para que o Senhor seja glorificado, devemos resistir à tentação de deixar qualquer amargura ou ressentimento habitar em nossos relacionamentos. "Fiquem atentos para que não brote nenhuma raiz venenosa de amargura que cause perturbação", escreve o autor de Hebreus. Reserve um momento para refletir sobre o fato de que você foi criado para encontrar sua total realização em Jesus Cristo. Submeta novamente a ele todas as áreas de sua vida que talvez estejam impedindo você de ver a Deus e, em vez disso, comprometa-se a buscar a santidade, para que possa ver o Senhor todos os dias de sua vida.

Oração

Senhor Deus e Pai, ajuda-me a obedecer às Escrituras hoje, a viver em paz com meus irmãos e irmãs e a reconciliar outros contigo por meio da Palavra e de uma vida de santidade. Ensina-me e capacita-me a ser luz no mundo e sal na terra. Em nome de Jesus. Amém.

Anotações

> O cristão não acha que Deus irá nos amar porque somos bons, mas que Deus nos fará bons porque nos ama.
> C. S. Lewis

DIA 3

A presença de Deus

ÊXODO 33.12-20

Então Moisés disse ao Senhor: "Tu me ordenaste: 'Leve este povo', mas não disseste quem enviarias comigo. Declaraste: 'Eu o conheço pelo nome e me agrado de você'. Se é verdade que te agradas de mim, permita-me conhecer teus caminhos para que eu te conheça melhor e continue a contar com teu favor. E lembra-te de que esta nação é teu povo". O Senhor respondeu: "Acompanharei você pessoalmente e lhe darei descanso". Então Moisés disse: "Se não nos acompanhares pessoalmente, não nos faças sair deste lugar. Se não nos acompanhares, como os outros saberão que meu povo e eu contamos com teu favor? Pois é tua presença em nosso meio que nos distingue, teu povo e eu, de todos os outros povos da terra". O Senhor respondeu a Moisés: "Certamente farei o que me pede, pois me agrado de você e o conheço pelo nome". Moisés disse: "Então peço que me mostres tua presença gloriosa". O Senhor respondeu: "Farei passar diante de você toda a minha bondade e anunciarei diante de você o meu nome, Javé. Pois terei misericórdia de quem eu quiser, e mostrarei compaixão a quem eu quiser. Mas você não poderá olhar diretamente para minha face, pois ninguém pode me ver e continuar vivo".

Devocional

A vida pode ser pesada. Por vezes, a sensação é de carregarmos sobre os ombros grandes fardos que nos prostram e nos desgastam. São muitas as dificuldades e lutas que nos sufocam: pressões constantes, contratempos persistentes, barreiras intransponíveis. Alguns de nós conseguem suprimir os sentimentos e até ignorá-los, mas isso não é benéfico no longo prazo. O fato é que, quando nos encontramos nessas estações, precisamos desesperadamente substituir a sensação de opressão pela sensação maravilhosa do amor avassalador de Deus. E a boa notícia é que a presença de Deus está disponível para nós, e o peso de sua glória remove o peso das circunstâncias que assolam nossa vida.

Em Êxodo 33.14, Deus assegura a Moisés que sua presença constante o acompanharia para que completasse uma missão que Moisés jamais seria capaz de cumprir com as próprias forças. Como resultado, Moisés experimentaria descanso em meio a circunstâncias opressoras. A presença que Moisés recebeu é a mesma presença a que hoje temos acesso por meio do sangue de Jesus. Sua morte e ressurreição nos proporcionam descanso total, por causa de sua obra consumada na cruz.

Se nos concentrarmos em nossa atividade em vez de em nossa identidade, isto é, em fazer em vez de ser, não desfrutaremos da fidelidade de Deus em nossa vida. Diminuiremos nossa consciência da presença do Senhor e continuaremos a viver apressadamente, focados no desempenho, em vez de viver no descanso que Deus preparou para nós. Hoje, Deus quer conduzir você à glória dele. Ele quer convidá-lo a tomar posse de sua ajuda sempre presente e disponível.

À medida que você transita por diferentes lugares, conversas e ambientes, aproxime-se de Jesus, e ele certamente se aproximará de você com seu amor incondicional e ilimitado. Essa é a promessa da fé cristã: um Deus santo, que rompeu as linhas divisórias entre nós e ele, e que nos abriu o acesso para que o alcancemos, como ele primeiramente nos alcançou.

Oração

Amado Deus e Pai, obrigado por estares sempre conosco. Coloca dentro de mim um coração cheio de ação de graças e de adoração a ti. Que tua misericórdia e bondade me acompanhem todos os dias de minha vida. Ajuda-me a perceber tua glória sendo revelada em cada situação que eu viver, e que eu seja obediente à tua direção. Em nome de Jesus. Amém.

Anotações

> *Ainda sou um pobre pecador, e tenho de olhar para Cristo todos os dias como fiz no primeiro.*
> Charles H. Spurgeon

DIA 4

Puro o suficiente para ver

LUCAS 7.36-50

Um dos fariseus convidou Jesus para jantar. Jesus foi à casa dele e tomou lugar à mesa. Quando uma mulher daquela cidade, uma pecadora, soube que ele estava jantando ali, trouxe um frasco de alabastro contendo um perfume caro. Em seguida, ajoelhou-se aos pés de Jesus, chorando. As lágrimas caíram sobre os pés dele, e ela os secou com seu cabelo; e continuou a beijá-los e a derramar perfume sobre eles. Quando o fariseu que havia convidado Jesus viu isso, disse consigo: "Se este homem fosse profeta, saberia que tipo de mulher está tocando nele. Ela é uma pecadora!". Jesus disse ao fariseu: "Simão, tenho algo a lhe dizer". "Diga, mestre", respondeu Simão. Então Jesus lhe contou a seguinte história: "Um homem emprestou dinheiro a duas pessoas: quinhentas moedas de prata a uma delas e cinquenta à outra. Como nenhum dos devedores conseguiu lhe pagar, ele generosamente perdoou ambos e cancelou suas dívidas. Qual deles o amou mais depois disso?". Simão respondeu: "Suponho que aquele de quem ele perdoou a dívida maior". "Você está certo", disse Jesus. Então voltou-se para a mulher e disse a Simão: "Veja esta mulher ajoelhada aqui. Quando entrei em sua casa, você não ofereceu água para eu lavar os pés, mas ela os lavou com suas lágrimas e os secou com seus cabelos. Você não me cumprimentou com um beijo, mas, desde a hora em que entrei, ela não parou de beijar meus pés. Você não me ofereceu óleo para ungir minha cabeça, mas ela ungiu meus pés com um perfume raro. Eu lhe digo: os pecados dela, que são muitos, foram perdoados e, por isso, ela demonstrou muito amor por mim. Mas a pessoa a quem pouco foi perdoado demonstra pouco amor". Então Jesus disse à mulher: "Seus pecados estão perdoados". Os homens que estavam à mesa diziam entre si: "Quem é esse que anda por aí perdoando pecados?". E Jesus disse à mulher: "Sua fé a salvou. Vá em paz".

Devocional

Ele era um líder religioso da mais alta ordem, fariseu de profissão, daqueles que ficavam de pé no meio do templo, julgando os demais, com o peito estufado e a cabeça erguida. Orgulhava-se de obedecer à lei e fazia questão de que seu traje comunicasse sua santidade e compromisso com as leis e estatutos de Deus. Simão era judeu e aguardava a vinda do Messias prometido.

A mulher, por sua vez, era uma desconhecida, convicta de que não estaria no topo da lista de ninguém, a não ser na lista de quem evitar. Era indigna em sua sociedade e ignorada por todos com quem deparava. Alienada, desmoralizada e completamente sozinha, ela havia quebrado as leis de Deus e não tinha esperança de ser recebida por ele.

Em seguida, Jesus, o protagonista da história, apresentando um entendimento surpreendente das leis judaicas e demonstrando um amor incondicional que contrariava as sensibilidades culturais da época. Ele oferece amor e pertencimento justamente a quem menos parecia merecê-lo.

Esses três são os personagens principais da passagem de hoje. Simão, preocupado com as aparências, negligenciou a condição de seu coração e não viu necessidade de arrepender-se e buscar perdão. A mulher tinha problemas sociais, mas seu coração era puro, pois enxergou sua necessidade urgente de Jesus. Sua baixa posição social aumentou seu nível de amor pelo Senhor. Simão vinha esperando havia muito encontrar o aclamado Messias. Mas ali estava Jesus, cumprindo seus anseios, e no entanto Simão não conseguiu reconhecer o Mestre que entrava em sua casa.

Um coração em busca de santificação, que se separa para os propósitos de Deus, sempre abre espaço para ver o Senhor. Todo aquele que reconhece o Senhor em seu caminho tem esse caminho endireitado, santificado por Deus. Repliquemos a humildade daquela mulher, reconhecendo nossa necessidade de um Salvador e pedindo a Jesus que erradique qualquer orgulho que permaneça em nosso coração e nos impeça de vê-lo.

Oração

Amado Senhor Jesus, quero te ver. Por favor, remova todo e qualquer orgulho que me faça pensar que eu esteja acima de onde verdadeiramente estou. E leva-me a ver os outros com a mesma misericórdia com que tu me vês. Não consigo fazer isso sozinho, mas apenas por teu Santo Espírito. Em teu doce nome. Amém.

Anotações

> É na proporção em que uma igreja é santa
> que seu testemunho de Cristo será poderoso.
> Charles H. Spurgeon

DIA 5

Uma igreja santa

1CORÍNTIOS 5.1-7,11-13

Comenta-se por toda parte que há imoralidade sexual em seu meio, imoralidade que nem mesmo os pagãos praticam. Soube de um homem entre vocês que mantém relações sexuais com a própria madrasta. Como podem se orgulhar disso? Deveriam lamentar-se e excluir de sua comunhão o homem que cometeu tamanha ofensa. Embora eu não esteja com vocês em pessoa, estou presente em espírito. E, como se estivesse aí, já condenei esse homem em nome do Senhor Jesus. Convoquem uma reunião. Estarei com vocês em meu espírito, e o poder de nosso Senhor Jesus também estará presente. Entreguem esse homem a Satanás, para que o corpo seja punido e o espírito seja salvo no dia do Senhor. Não é nada bom se orgulharem disso. Não percebem que esse pecado é como um pouco de fermento que leveda toda a massa? Livrem-se do fermento velho, para que sejam massa nova, sem fermento, o que de fato são. [...] Vocês não devem se associar a alguém que afirma ser irmão mas vive em imoralidade sexual, ou é avarento, ou adora ídolos, ou insulta as pessoas, ou é bêbado ou explora os outros. Nem ao menos comam com gente assim. Não cabe a mim julgar os de fora, mas certamente cabe a vocês julgar os que estão dentro. Deus julgará os de fora. Portanto, eliminem o mal do meio de vocês.

Devocional

Para muitos de nós, cristãos, falar sobre nossa fé publicamente pode parecer bastante intimidador. Preocupados com opiniões críticas e temerosos de sermos vistos como hipócritas, recuamos timidamente. Depois, ficamos ansiosos por não termos representado Jesus para os outros. Envidamos esforços visando a perfeição, esquecendo que somente Deus é santo e que somos feitos justos nele. Não é nossa perfeição que agrada a Deus, mas sim nossa busca por santidade. Querer a santidade é a resposta correta a um Deus santo e justo, mas alcançá-la é algo que depende exclusivamente da graça divina e do poder do Espírito Santo.

Uma vez que Deus instruiu seu povo a ser santo, a passagem de hoje descreve o horror de Paulo diante da imoralidade sexual que assolava a igreja em Corinto. A luxúria e a perversão eram tão severas que Paulo as descreveu como sendo piores do que aquilo que ele encontraria fora dos muros da igreja. Os coríntios estavam tão ensimesmados que já não demonstravam sensibilidade aos sussurros do Espírito. Na verdade, achavam-se completamente indiferentes a ele. Por isso, Paulo oferece uma solução para aqueles problemas perversos, sugerindo diligência, devoção e disciplina. Ele disse que os pecados eram tão graves que deveria haver consequências, podendo chegar à expulsão de membros da igreja.

Paulo não limita essa disciplina aos sexualmente imorais. Antes, inclui os gananciosos, os idólatras, os fofoqueiros, além daqueles que estavam enganando os outros e se embebedando. Ele expressou o risco que a congregação corria por permanecer impenitente. A menos que optassem por lidar com os problemas de frente, a atividade pecaminosa se infiltraria em toda a cultura da igreja. "Não percebem que esse pecado é como um pouco de fermento que leveda toda a massa?", escreve o apóstolo.

Felizmente, Paulo os deixa saber que, porque Cristo foi sacrificado, o perdão está disponível. Há amor incondicional para aqueles que escolhem se voltar para Jesus, e só podemos ser santificados por meio dele, cuja morte na cruz nos oferece sempre uma nova chance. Encha-se de ânimo hoje, pois a santidade lhe está disponível como um dom por intermédio do Espírito Santo. E se você falhou, desviou-se ou cedeu à tentação, a cruz do Senhor abriu um caminho para que você seja perdoado. Portanto, retorne a Cristo,, receba seu amor e seja liberto das fortalezas do pecado.

Oração

Amado Deus e Pai, teu Espírito me dá acesso à tua santidade. Peço-te que me enchas até a borda, para que eu possa transbordar tua bondade e tua graça, a fim de alcançar a vida daqueles que tu amas. Perdoa-me cada pecado cometido. Que eu saiba nomeá-los e deles me afastar. Que teu nome seja engrandecido em mim. Em nome de Jesus. Amém.

Anotações

> Que sua fé produza obediência,
> e Deus no devido tempo fará que ela produza paz.
> John Owen

DIA 6

Obediência e santidade

1PEDRO 1.13-17

Portanto, preparem sua mente para a ação e exercitem o autocontrole. Depositem toda a sua esperança na graça que receberão quando Jesus Cristo for revelado. Sejam filhos obedientes. Não voltem ao seu antigo modo de viver, quando satisfaziam os próprios desejos e viviam na ignorância. Agora, porém, sejam santos em tudo que fizerem, como é santo aquele que os chamou. Pois as Escrituras dizem: "Sejam santos, porque eu sou santo". Lembrem-se de que o Pai celestial, a quem vocês oram, não mostra favorecimento. Ele os julgará de acordo com suas ações. Por isso, vivam com temor durante seu tempo como residentes na terra.

Devocional

No século 19, o pregador escocês Duncan Campbell se envolveu em um avivamento nas Ilhas Hébridas, no noroeste da Escócia. A ele é atribuída a frase: "Santidade, uma verdadeira demonstração de vida piedosa, é a necessidade premente de nossos dias". Suas palavras continuam a ressoar hoje. O que nossa cultura precisa, mais do que nunca, não é de alguém que somente proclame o conhecimento de Deus, mas de quem também demonstre como é uma vida santa. Tal exemplo de vida falará mais poderosamente do que qualquer discurso inteligente que compartilharmos.

Viver em santidade é exatamente o que nos Deus pede na passagem de hoje. Uma das muitas verdades de nossa caminhada cristã é o fato de que a rendição e a obediência a Jesus envolvem tornar-se puro e santo, vivendo à sua semelhança e refletindo sua bondade. O próprio Deus é descrito nas Escrituras como totalmente santo, um fogo consumidor, que refina e purifica, e é a síntese da perfeição. O apóstolo Pedro quer que reconheçamos essa santidade, e para isso cita Levítico 11.44-45, do Antigo Testamento, ecoando as palavras de Deus aos israelitas que viajavam pelo deserto a caminho de Canaã. O texto refere-se à capacidade de concentrar-se na natureza e no caráter de Deus, para que se possa guardar suas leis e estatutos. Isso é o que permitiria aos israelitas viver no mundo, mas não ser do mundo. Separados para o Senhor, estabeleceriam os padrões para uma vida de realização encontrada somente nele.

Ao refletir sobre essa passagem, lembre-se que nossa busca por santidade não impacta apenas nossa intimidade com Jesus, mas também todos os outros relacionamentos e esferas de atuação em nossa vida, incluindo comportamentos e valores. Pedro quer que a demonstração de nossa fé seja tão impactante quanto nossas declarações, pois a santidade é a verdadeira demonstração de uma vida cheia do caráter de Deus. Nossa conduta deve glorificar a Deus e ser a maior propaganda de seu nome. Como você mostrará a natureza e o caráter de Deus aos outros hoje por meio de seu comportamento, vivendo de tal forma que atraia e incentive mais pessoas a conhecer o Senhor?

Oração

Amado Senhor Jesus, que minhas palavras e ações se alinhem para que outros vejam a autenticidade de minha fé e anseiem conhecer-te. Sei que minha intimidade contigo fluirá para todos os meus relacionamentos. Ajude-me a atrair outros à tua presença, para que eles também sejam salvos e experimentem a abundância de vida que há em ti. Nada importa mais, Senhor, que ser mais parecido contigo. Amém.

Anotações

> Não há consolo, a não ser no seio de Cristo. Não há segurança, a não ser ao lado de Cristo. Não há força, a não ser no braço de Cristo. Não há santidade, a não ser nos passos de Cristo.
>
> George Everard

DIA 7

Ver a Deus

NÚMEROS 6.22-27

Então o SENHOR disse a Moisés: "Diga a Arão e a seus filhos que abençoem o povo de Israel com esta bênção especial: 'Que o SENHOR o abençoe e o proteja. Que o SENHOR olhe para você com favor e lhe mostre bondade. Que o SENHOR se agrade de você e lhe dê paz'. Assim, Arão e seus filhos colocarão meu nome sobre os israelitas, e eu mesmo os abençoarei".

Devocional

Você já foi ousado o suficiente nas profundezas do desespero para perguntar a Deus: "Senhor, estás realmente comigo neste momento?". Às vezes acabamos imaginando que outros cristãos têm uma linha direta para a presença de Deus, com seus pedidos de oração sendo atendidos pelo Senhor na discagem rápida, enquanto estamos em espera na chamada. Sempre que enfrentamos dificuldades relacionais, somos instruídos a nos comunicar com mais frequência e clareza, porque a comunicação é para os relacionamentos como o sangue é para o corpo, isto é, vital. Então, em meio às dúvidas, devemos nos aproximar de Deus e pedir que ele se revele, falando ao nosso coração e se fazendo conhecido novamente em nossa vida.

Em Mateus 5.8, Jesus nos ensina que são "felizes os que têm o coração puro, pois verão a Deus". Se nos purificarmos, o encontraremos. Para aqueles que buscam pureza de coração, estar com Deus pode ser uma realidade cotidiana. Podemos cooperar com a obra do Senhor e trabalhar com ele, em vez de imaginar que trabalhamos para ele. Um dos mitos nos quais o diabo quer que acreditemos em nossa caminhada cristã é que devemos ser perfeitos para obter um coração puro. No entanto, ter uma devoção pura a Jesus, com a intenção diária de vê-lo mais claramente e conhecê-lo plenamente, agrada a Deus e nos leva a uma maior maturidade e conhecimento dele. Embora hoje não sejamos capazes de ver Jesus na carne, por meio de seu Espírito podemos ver a obra de suas mãos ao nosso redor.

Hoje, entregue-se a Jesus novamente, arrependa-se e esteja mais uma vez aos pés daquele que é o Consolador que nos purifica de todo pecado. Por meio de Jesus Cristo temos o coração e a mente lavados de todo o mal e transformados de acordo com o caráter santo de Deus. Convide o Senhor para restaurar sua visão e abrir seus olhos para a realidade de que a presença de Jesus está sempre com você. Seja no topo da montanha, seja no vale, a presença do Senhor está disponível. Lembre-se disso e preste atenção às evidências da ação do Pai em sua vida, tanto as visíveis quanto as invisíveis, tornando-se mais consciente do trabalho de Deus ao seu redor. Assim você crescerá em confiança e fé em Jesus.

Oração

Senhor Deus e Pai celestial, sei que tu podes agir por meio de meu testemunho. Tu és fiel e verdadeiro, justo e reto. Abra meus olhos para que eu possa te ver. Enche minha vida com mais de ti, Senhor. Ajuda-me a proclamar a única verdade — que tu és a Verdade — e a dar testemunho das minhas experiências contigo. Em nome de Jesus. Amém.

Anotações

ORAÇÃO DE LOUVOR A DEUS

Senhor Deus, venho a ti em oração com louvor e ação de graças.
Eu te agradeço por seres o Senhor de minha vida.
Eu te agradeço por seres verdadeiramente soberano.
Só tu és Senhor sobre tudo e todos, muito acima de qualquer circunstância e situação.
És o Rei de todo o universo!

Preocupações e receios me vêm à mente, mas eu me lembro que tu és Deus e que tudo está debaixo de tua poderosa e bondosa mão.

Eu te agradeço pela certeza, por meio de tua Palavra, de que estás comigo em todas as estações da vida.

E eu te peço, Pai, que te manifestes em minha vida hoje e me uses para tua obra.

Que o Espírito Santo continue a trabalhar em mim, moldando meu caráter, seja no meu lar, na minha família, na minha igreja ou no meu local de trabalho.

Eu oro, Senhor, para ser transformado à semelhança de Cristo. Que tua obra se manifeste em minha vida e eu possa, assim, render-te louvores.

Ó Deus, quero dar frutos abundantes de teu Santo Espírito.
Que eu possa viver e transmitir amor, alegria, paz, paciência, amabilidade, bondade, fidelidade, mansidão e domínio próprio.
Busco ouvir teu chamado e ser conduzido por teu Espírito em meio a veredas de justiça.

Senhor, obrigado por me amares e desenvolveres um relacionamento comigo.
Tua Palavra afirma que sou teu filho, adotado mediante o sangue de Cristo.
Sei também que sou teu amigo, que fui reconciliado contigo e que agora tu me vês como um servo e colaborador em teu reino.

Eu te louvo por isso, ó Deus.

E entrego agora o meu dia em tuas mãos.
Entrego minha vida inteira.
Quero ser um vaso moldado e aperfeiçoado por ti.
Opera tua maravilhosa obra em mim, Senhor.

Em nome de Jesus. Amém.

CONTEÚDO EXTRA

 Ouça o salmo 18

SEMANA 1 **2** 3 4

A paz de Cristo

> A paz é o sorriso de Deus
> refletido na alma daquele que crê.
> William Hendriksen

DIA 1

Paz perfeita

ISAÍAS 26.1-12

Naquele dia, todos na terra de Judá entoarão este cântico: Nossa cidade é forte; estamos cercados pelos muros da salvação de Deus! Abram os portões para os justos, deixem entrar os fiéis. Tu guardarás em perfeita paz todos que em ti confiam, aqueles cujos propósitos estão firmes em ti. Confiem sempre no Senhor, pois o Senhor Deus é a Rocha eterna. Ele humilha os orgulhosos; rebaixa a cidade arrogante e a lança ao pó. Os pobres a pisoteiam, e os necessitados caminham sobre ela. Para os justos, porém, o caminho é reto. Tu, que ages com retidão, tornas plano o caminho adiante deles. Senhor, ao seguir tuas justas decisões, depositamos em ti nossa esperança; o desejo de nosso coração é glorificar teu nome. À noite eu te procuro, ó Deus; pela manhã te busco de todo o coração. Pois só quando vens julgar a terra as pessoas aprendem a justiça. Tua bondade com os perversos não os leva a fazer o bem. Embora outros pratiquem a justiça, eles continuam a fazer o mal; não levam em conta a majestade do Senhor. Ó Senhor, eles não prestam atenção à tua mão levantada; mostra-lhes teu zelo em defender teu povo. Então serão envergonhados; que o fogo de tua ira consuma teus inimigos! Senhor, tu nos concederás paz; sim, tudo que realizamos vem de ti.

Devocional

Todos nós desejamos a paz. No fundo de nosso coração, ansiamos que todo caos cesse e que a paz reine na terra. Muitas pessoas estão orando pela paz política, por exemplo. Outros esperam por paz mental, por provisão financeira para alcançar tranquilidade acerca das necessidades de subsistência, ou paz relacional, entre amigos e família. Nessa busca por um antídoto para os sintomas de desconforto em nossa vida, procuramos agentes externos que nos socorram, muita vezes sem nos darmos conta de que Cristo quer fazer um trabalho interno em nós, que fortalecerá nosso coração e aliviará o estresse em nossa mente.

Jesus tem muito a dizer sobre a paz. A ideia de paz é mencionada centenas de vezes na Bíblia, o que nos mostra a importância do tema. Trata-se de uma área para a qual precisamos de ajuda a fim de que possamos vivê-la em plenitude. Em Isaías 26.3, por exemplo, Deus diz que guarda em perfeita paz aqueles que estão firmes em seu propósito, com a mente e o coração inteiramente voltados para o Senhor. O contexto da passagem bíblica é o de um povo preso no exílio físico. De igual modo, muitos de nós estamos presos em exílio espiritual.

Precisamos intensificar nossa busca por paz com aquele que é o Príncipe da Paz. Ele é a solução para todo e qualquer problema. Ele é a calmaria no olho dos furacões relacionais. Mesmo que tempestades assolem nossa vida, Jesus continua a ser poderoso para nos manter calmos e tranquilos. Quando fixamos a mente em Deus, encontramos paz e as tempestades projetadas para nos perturbar vão se dissolvendo. Por isso, encha-se do Espírito Santo, ore e leia as Sagradas Escrituras. É simples assim.

Em tempos de indignação constante, podemos ser um povo de evangelismo, que leva ao mundo a mensagem de Cristo. A paz não é um prêmio que devemos almejar, mas é um dom que podemos compartilhar encorajando outros com nossas palavras, estendendo ajuda com nossas mãos e abrindo nosso coração para aqueles que precisam experimentar paz em meio às lutas. Ao recebermos a paz perfeita de Cristo, estaremos equipados para liberá-la ao mundo. Devemos sempre lembrar que a paz não é um sentimento ou um estado de espírito, mas é uma Pessoa que recebemos. Você pode não experimentar a ausência de problemas, mas receberá a presença da paz. Libere suas preocupações e experimente o amor do Senhor!

Oração

Amado Senhor Jesus, eu te louvo e te agradeço por me manteres em tua perfeita paz. Que eu possa me segurar em ti, Príncipe da Paz, em cada estação turbulenta pela qual eu passar. Ajuda-me a compartilhar essa paz que recebi de ti por onde eu for. Em teu santo nome. Amém.

Anotações

> Dá-me um coração forte para carregar meus próprios fardos.
> Dá-me um coração disposto a carregar o fardo dos outros.
> Dá-me um coração de fé para lançar todos os fardos sobre ti, ó Senhor.
>
> John Baillie

DIA 2

Tornando-me um pacificador

ROMANOS 12.9-21

Amem as pessoas sem fingimento. Odeiem tudo que é mau. Apeguem-se firmemente ao que é bom. Amem-se com amor fraternal e tenham prazer em honrar uns aos outros. Jamais sejam preguiçosos, mas trabalhem com dedicação e sirvam ao Senhor com entusiasmo. Alegrem-se em nossa esperança. Sejam pacientes nas dificuldades e não parem de orar. Quando membros do povo santo passarem por necessidade, ajudem com prontidão. Estejam sempre dispostos a praticar a hospitalidade. Abençoem aqueles que os perseguem. Não os amaldiçoem, mas orem para que Deus os abençoe. Alegrem-se com os que se alegram e chorem com os que choram. Vivam em harmonia uns com os outros. Não sejam orgulhosos, mas tenham amizade com gente de condição humilde. E não pensem que sabem tudo. Nunca paguem o mal com o mal. Pensem sempre em fazer o que é melhor aos olhos de todos. No que depender de vocês, vivam em paz com todos. Amados, nunca se vinguem; deixem que a ira de Deus se encarregue disso, pois assim dizem as Escrituras: "A vingança cabe a mim, eu lhes darei o troco, diz o Senhor". Pelo contrário: "Se seu inimigo estiver com fome, dê-lhe de comer; se estiver com sede, dê-lhe de beber. Ao fazer isso, amontoará brasas vivas sobre a cabeça dele". Não deixem que o mal os vença, mas vençam o mal praticando o bem.

Devocional

Como seguidores de Jesus, não devemos viver de acordo com os impulsos e os padrões de comportamento que caracterizam o mundo. Antes, devemos buscar viver em paz com Deus e com os outros. Desse modo, seguiremos o exemplo de Jesus e serviremos no avanço de seu reino neste mundo que carece desesperadamente de um Salvador. Como nos aconselha a Palavra, no que depender de nós, devemos propositadamente viver em paz com todos.

Uma hora ou outra, colapsos nos acometem e interrompem a paz em nossa vida. Paulo tinha consciência disso, por isso nos chama para estarmos em paz uns com os outros. Se estar em paz com os outros é algo que diz respeito a sua conduta, influenciar outras pessoas com a paz é o fruto que transcende suas decisões. Quando a pressão e a tensão aumentarem, lembre-se: às vezes, a maneira mais eficaz de defender Deus é simplesmente parar, aquietar-se e ouvir. Manter a paz não significa reprimir desejos e necessidades. Significa reconhecer a necessidade de ser como Jesus. Todos nós queremos paz no mundo, mas será que estamos fazendo o que é necessário para ter paz ao nosso redor?

Você pode se perguntar como podemos fazer isso. Em primeiro lugar, corrija o problema, não o culpado. Ou seja, ataque a questão à sua frente em vez de atacar as pessoas, e esforce-se para resolver a situação. Sair à procura de culpados muitas vezes resulta tão somente em enfado e perda de tempo. Afinal, todos nós erramos em algum momento. Em segundo lugar, concentre-se na reconciliação antes da resolução. Cada um de nós é único, e nem sempre concordaremos em tudo. Estar em paz com todos, porém, significa que podemos discordar sem ser desagradáveis, e isso é ter maturidade. Não seremos capazes de manter a paz se formos capturados pela dureza de coração.

O que o mundo não tem é exatamente do que ele mais precisa e que nós, seguidores de Jesus, podemos oferecer: Cristo e sua paz. Existe uma correlação direta entre a manutenção da paz e a eficácia de nossa missão. Deixe de ser o lugar onde as pessoas se sentem dilaceradas e torne-se o lugar agradável onde elas tocam a paz de Deus. Encontre sua paz no Senhor e passe essa paz adiante. Estabeleça pontes, abra portas e descubra em sua vida espaços santificados para que outros encontrem Cristo.

Oração

Amado Deus e Pai celestial, meu desejo é ser um pacificador. Que tu me dês discernimento e sabedoria à medida que navego por relacionamentos difíceis, sustentando minhas convicções e me fortalecendo em obediência. Ajuda-me a sempre buscar tua vontade para minha vida. Em nome de Jesus. Amém.

Anotações

> Se Deus for nosso Deus, ele nos dará a paz em tempos difíceis.
> Quando há uma tempestade lá fora, ele trará paz para dentro de nós.
> Thomas Watson

DIA 3

O Príncipe da Paz

ISAÍAS 9.2-6

O povo que anda na escuridão verá grande luz. Para os que vivem na terra de trevas profundas, uma luz brilhará. Tu multiplicarás a nação de Israel, e seu povo se alegrará. Eles se alegrarão diante de ti como os camponeses se alegram na colheita, como os guerreiros ao repartir os despojos. Pois tu quebrarás o jugo de escravidão que os oprimia e levantarás o fardo que lhes pesava sobre os ombros. Quebrarás a vara do opressor, como fizeste ao destruir o exército de Midiã. As botas dos guerreiros e os uniformes manchados de sangue das batalhas serão queimados; servirão de lenha para o fogo. Pois um menino nos nasceu, um filho nos foi dado. O governo estará sobre seus ombros, e ele será chamado de Maravilhoso Conselheiro, Deus Poderoso, Pai Eterno e Príncipe da Paz.

Devocional

Conta-se que, em sua última apresentação, o famoso guitarrista Jimi Hendrix se dirigiu de forma surpreendente aos milhares de pessoas que assistiam a sua performance. Primeiro, ele quebrou sua guitarra em pedaços. Sua dor, angústia e frustração fizeram os presentes enlouquecerem, suscitando uma verdadeira histeria. Em seguida, ele caiu de joelhos, ficou imóvel e baixou a cabeça. Então, olhou para cima, dirigiu-se à multidão e disse: "Se você conhece a paz verdadeira, preciso que venha me visitar nos bastidores mais tarde". Ninguém foi... Semanas depois, ele morreu de overdose. É angustiante pensar que ele fez a pergunta mais importante que alguém poderia fazer e ficou sem resposta. "Se você conhece a paz, venha e fale comigo." Não havia ninguém ali para atender a seu pedido.

Na passagem de hoje, o profeta Isaías de certo modo responde à pergunta de Jimi Hendrix. Um filho virá, e não apenas estabelecerá paz na terra, mas também revelará onde ela pode ser encontrada. Quando navegamos pelas águas incertas da vida, ansiamos por entender o quê, o porquê, o como e o quando. No entanto, a paz de Cristo não reside na compreensão ou na sabedoria humana. Antes, trata-se de uma paz sobrenatural e perfeita que é estabelecida em nossa vida através do Príncipe da Paz, que reinará e estabelecerá seu reino eterno na terra. E nós podemos desfrutar dessa paz a cada dia que vivermos, mesmo em meio a desafios e incertezas.

Em Cristo temos acesso a uma paz que excede todo entendimento. Essa paz nós recebemos apesar de nós mesmos e das circunstâncias à nossa volta. E podemos confiar que Deus sempre opera sabiamente, por vezes acalmando as tempestades em nosso interior, e por vezes acalmando a nós mesmos para encarar as tempestades.

Se os seus sentimentos estiverem ancorados nas circunstâncias, eles se parecerão com um gráfico de ações que oscilam diariamente durante uma quebra da bolsa de valores. Ao longo do caminho, você terá momentos de altas e momentos de baixas, mas se estiver ancorado na cruz de Cristo ele se tornará o seu ponto fixo e inabalável de paz. Sim, a paz lhe estará disponível hoje mesmo, quando as incertezas forem confiadas a um Deus imutável. A paz não é um lugar ao qual chegamos, mas é a própria pessoa de Jesus, o Príncipe da Paz, habitando em nós.

Oração

Senhor Deus e Pai celestial, eu te agradeço porque posso depender totalmente de ti para trazer paz em meio ao caos e calma em meio à incerteza. Continua a me aconselhar e me guiar, para que eu seja transformado e me pareça mais com teu Filho, atuando como um embaixador fiel e eficaz de teu reino neste mundo. Em nome de Jesus. Amém.

Anotações

> O fim supremo e principal do homem é glorificar a Deus e dele desfrutar para sempre.
> Catecismo de Westminster

DIA 4

Encontrando a paz

COLOSSENSES 3.15-17

Permitam que a paz de Cristo governe o seu coração, pois, como membros do mesmo corpo, vocês são chamados a viver em paz. E sejam sempre agradecidos. Que a mensagem a respeito de Cristo, em toda a sua riqueza, preencha a vida de vocês. Ensinem e aconselhem uns aos outros com toda a sabedoria. Cantem a Deus salmos, hinos e cânticos espirituais com o coração agradecido. E tudo que fizerem ou disserem, façam em nome do Senhor Jesus, dando graças a Deus, o Pai, por meio dele.

Devocional

Alguém disse certa vez que não obtemos paz quando assumimos o controle de algo, mas sim quando percebemos que somos profundamente amados pelo Deus que já está no controle de tudo. Ter paz, portanto, não significa não ter problemas, mas sim que os problemas não controlam você. Essa convicção é estabelecida quando entendemos que a provisão do Senhor é tão abundante quanto o ar, e é por isso que devemos treinar nosso coração para confiar nele. O pânico é contagioso, mas a paz de Cristo também é.

Na passagem de hoje, o apóstolo Paulo compartilha com a igreja em Colossos que é vontade de Deus que sua paz reine no coração e na mente de seu povo. Essa paz de espírito virá não pelo desaparecimento dos problemas, mas pela experiência de estar na presença de Deus. A paz de espírito é firmada quando, em vez de escolher contar a Deus sobre nossos problemas, passamos a contar a nossos problemas quem Deus é. Saiba que em algumas situações Jesus não livrará você da tempestade, mas ele se tornará a paz de que você precisa no meio dela. Talvez hoje você esteja levando a vida tranquilamente, mas em seu interior haja insegurança. Portanto, se você sente que o medo e a ansiedade agem contra sua paz interior, saiba que a adoração age em favor de sua paz.

À medida que escolhemos habitar verdadeiramente na presença de Jesus e buscar sua paz, podemos nos desapegar das dúvidas e reivindicar as promessas de Deus. O caminho de paz, e para a paz, consiste em entregar-se em louvor e adoração ao Salvador que tem o mundo em suas mãos. As promessas de paz só nos darão paz se acreditarmos que Deus é fiel para cumpri-las. Em outras palavras, pare de esperar que a paz venha e comece a andar na paz de Cristo.

Deus nos estendeu um convite para que andemos em santidade e recebamos dele a plenitude. E essa é a definição da paz bíblica, ou *shalom*: completude. A consequência disso será uma calma contagiante que envolve toda a sua vida e enche todo o seu coração. Ao escolher seguir Jesus determinadamente, ele mesmo lhe dará uma paz sem igual. Pois a paz não é um escape de sua vida cotidiana, mas uma Pessoa com quem você caminha todos os dias. Dobre os joelhos diante do Pai e livre-se da ansiedade de seu coração.

Oração

Senhor, meu Deus, obrigado, pois Cristo é minha paz, e não há paz fora de ti. Permita, Pai, que eu caminhe contigo com alegria e propósito. Revela-me em quais áreas estou buscando paz fora de ti e conduz-me ao arrependimento. Abençoa-me para que em tudo eu exale o bom perfume de Cristo. Em nome de Jesus. Amém.

Anotações

> Piedade é o caráter cristão que surge da devoção a Deus.
> Jerry Bridges

DIA 5

Um chamado à paz

MATEUS 5.3-12

[Jesus disse:] "Felizes os pobres de espírito, pois o reino dos céus lhes pertence. Felizes os que choram, pois serão consolados. Felizes os humildes, pois herdarão a terra. Felizes os que têm fome e sede de justiça, pois serão saciados. Felizes os misericordiosos, pois serão tratados com misericórdia. Felizes os que têm coração puro, pois verão a Deus. Felizes os que promovem a paz, pois serão chamados filhos de Deus. Felizes os perseguidos por causa da justiça, pois o reino dos céus lhes pertence. Felizes são vocês quando, por minha causa, sofrerem zombaria e perseguição, e quando outros, mentindo, disserem todo tipo de maldade a seu respeito. Alegrem-se e exultem, porque uma grande recompensa os espera no céu. E lembrem-se de que os antigos profetas foram perseguidos da mesma forma."

Devocional

Repetidamente nas Escrituras, somos informados que as bênçãos da eternidade estão reservadas àqueles que depositam sua fé em Jesus e trabalham para se tornarem novas criaturas. Do início ao fim, o célebre Sermão do Monte nos lembra de que é hora de receber um novo coração e deixar que Cristo nos transforme à sua imagem. A escolha bate à nossa porta.

Ao ensinar as bem-aventuranças, Jesus não quis dizer que elas são opções a serem consideradas. Na verdade, elas são o mapa desenhado pelo Senhor com o caminho para o céu. Ele nos convida a pegar a estrada e permanecer nela para que possamos herdar a vida eterna e receber a herança guardada para nós em Cristo Jesus. Mas Jesus não está apenas preocupado em que cheguemos ao céu depois que morrermos. Ele quer nos dar um vislumbre do que significa realmente viver aqui neste mundo. Parte disso consiste em viver em paz e amar o próximo, para que possamos ser verdadeiros pacificadores.

Quando agimos como pacificadores, somos reconhecidos como representantes de Cristo na terra. Em um mundo imerso em conflitos, envidar esforços pela paz mostra às pessoas que somos filhos de Deus. Impactamos o mundo ao nos dispormos a abrir mão de nossa agenda e fazer sacrifícios para que a paz seja estabelecida à nossa volta, da maneira que Deus deseja. Se nosso Pai celestial é um pacificador, então nós, seus filhos, devemos ser pacificadores também. Pacificação não significa necessariamente alcançar a paz em todas as circunstâncias. Ainda assim, nossas ações devem ser dirigidas para que as coisas se acalmem, e não o contrário. Mesmo que nossos anseios e esforços demorem a resultar em paz, seguimos trabalhando por ela.

Jesus tinha grandes expectativas para seus discípulos, e continua a ter grandes expectativas para nós também. Por isso, ele nos equipa e capacita para realizarmos a obra de Deus. Às vezes, nossas tentativas de paz não serão notadas, mas à medida que agimos em obediência, cada ato vai nos tornando mais semelhantes a Jesus. Cristo é nossa paz, e ele já nos deu toda a paz e todo o poder de que precisamos para escolher ser pacificadores em qualquer situação. Descanse no fato de que você é filho de Deus e, como filho, pode ser um pacificador, porque em você habita o Espírito Santo, que é nossa perfeita paz.

Oração

Amado Senhor Deus, muito obrigado por me reconciliares contigo por meio da cruz. Que de igual modo eu seja fiel na reconciliação com aqueles à minha volta. Por mais difícil que seja, por mais complexa que a situação possa parecer, peço-te que me capacites e me lideres nessa missão de ser um pacificador. Obrigado por teres me dado paz contigo. Em nome de Jesus. Amém.

Anotações

> A vida com Deus não é estar imune às dificuldades,
> mas é a paz nas dificuldades.
> C. S. Lewis

DIA 6

Paz na dor

2CORÍNTIOS 11.24-30

Cinco vezes recebi dos líderes judeus os trinta e nove açoites. Três vezes fui golpeado com varas. Fui apedrejado uma vez. Três vezes sofri naufrágio. Certa ocasião, passei uma noite e um dia no mar, à deriva. Realizei várias jornadas longas. Enfrentei perigos em rios e com assaltantes. Enfrentei perigos de meu próprio povo, bem como dos gentios. Enfrentei perigos em cidades, em desertos e no mar. E enfrentei perigos por causa de homens que se diziam irmãos, mas não eram. Tenho trabalhado arduamente, horas a fio, e passei muitas noites sem dormir. Passei fome e senti sede, e muitas vezes fiquei em jejum. Tremi de frio por não ter roupa suficiente para me agasalhar. Além disso tudo, sobre mim pesa diariamente a preocupação com todas as igrejas. Quem está fraco, que eu também não sinta fraqueza? Quem se deixa levar pelo caminho errado, que a indignação não me consuma? Portanto, se devo me orgulhar, prefiro que seja das coisas que mostram como sou fraco.

Devocional

Qualquer coisa que esteja na escuridão, quando alcançada pela luz, já não pode permanecer oculta. O mesmo pode ser dito quando entramos na presença de Cristo: ele ilumina as áreas em nosso coração que não entregamos totalmente a ele, e a realidade se torna visível para nós. Por definição, ídolo é algo que é mais importante para você do que Deus. É algo que absorve seu coração e ocupa seus pensamentos e sua imaginação. Frequentemente somos atraídos pelas luzes do mundo até que elas se convertem em escuridão e nos damos conta de que a verdadeira luz que nos ilumina vem unicamente de Deus.

Paulo escreveu à igreja em Corinto visando corrigi-los por terem caído em um erro. Eles haviam começado a adorar os caminhos do mundo e se afastado dos ensinamentos de Jesus. O apóstolo estava tentando lhes comunicar que seus pontos fortes criavam competição, mas suas fraquezas criavam comunhão. Nenhum dos membros daquela igreja era uma rocha sólida, por isso Paulo lhes disse que deveriam permanecer na verdadeira rocha que é Cristo.

Enquanto o mundo nos confere credibilidade por nosso sucesso, Deus nos confere credibilidade em meio a nossas lutas, sofrimentos e reveses. Pois nossa completa fraqueza e dependência sempre serão a ocasião para Cristo exercer seu poder. Não é nossa posição social que determina nosso propósito, mas sim o poder de Deus operando em nós, para que nosso propósito seja cumprido. Isso é o que traz paz verdadeira e duradoura em nossa vida. Este é o mistério de Jesus Cristo: ele revela sua força em pessoas quebrantadas, fracas, frágeis e feridas.

A paz que Paulo queria que a igreja em Corinto entendesse era uma paz não circunstancial, mas estabelecida em uma base firme e inabalável. O fim de nós mesmos será sempre o começo do Senhor em nós! Sonhos do tamanho de Deus não podem ser realizados com a força do tamanho humano. Repita, ensaie e revisite a seguinte verdade nos próximos dias: "Sou fraco no poder, mas há poder na fraqueza". Quanto mais você compreender seus limites, mais receberá paz e verá seu Deus agir de forma ilimitada.

Oração

Amado Senhor Jesus, obrigado por me chamares para agir contigo, que vai sempre à minha frente. Peço-te que guies meu caminho e me uses para tua glória. Protege minha mente e cuida de mim. Que tu removas todo egoísmo e orgulho de meu coração e me enchas de tua unção, sabedoria e discernimento. Em teu nome eu oro. Amém.

Anotações

> O primeiro grande negócio que devo atender todos os dias
> é ter minha alma feliz no Senhor.
> George Müller

DIA 7

Alegrem-se no Senhor

FILIPENSES 4.4-9

Alegrem-se sempre no Senhor. Repito: alegrem-se! Que todos vejam que vocês são amáveis em tudo que fazem. Lembrem-se de que o Senhor virá em breve. Não vivam preocupados com coisa alguma; em vez disso, orem a Deus pedindo aquilo de que precisam e agradecendo-lhe por tudo que ele já fez. Então vocês experimentarão a paz de Deus, que excede todo entendimento e que guardará seu coração e sua mente em Cristo Jesus. Por fim, irmãos, quero lhes dizer só mais uma coisa. Concentrem-se em tudo que é verdadeiro, tudo que é nobre, tudo que é correto, tudo que é puro, tudo que é amável e tudo que é admirável. Pensem no que é excelente e digno de louvor. Continuem a praticar tudo que aprenderam e receberam de mim, tudo que ouviram de mim e me viram fazer. Então o Deus da paz estará com vocês.

Devocional

Quando os marinheiros descrevem uma tempestade à qual ninguém pode sobreviver, eles usam a expressão "tempestade perfeita". Não perfeita por ser excelente e admirável, mas perfeita no sentido de uma tempestade quase impossível de suportar. Cada elemento — ventos fortes, chuva torrencial, temperatura fria — trabalha em conjunto para causar perigo e desastre. Certamente, bastaria um desses elementos para que o desafio estivesse posto, mas, combinados, surge uma série de outros problemas ainda maiores.

Você não precisa ser um marinheiro para experimentar uma tempestade perfeita. Tudo o que precisa é ser acometido por uma situação adversa seguida da outra. Um filho doente, um cônjuge ausente, problemas no trabalho, dificuldade financeira etc.

Vento forte após vento forte podem mesmo nos derrubar. Então, como devemos nos comportar quando ondas e tempestades vão se acumulando em nossa vida? Como sobreviver? A resposta do apóstolo Paulo a essa pergunta é clara, direta e concisa. Ele diz que a paz de Deus, que excede todo o entendimento, guardará nosso coração e nossa mente em Cristo Jesus.

Quando dependemos do Senhor em oração e semeamos um coração grato, Deus olha para nós e nos dá a paz. Essa não é uma paz que tão somente vem de Deus. Ela é a paz do próprio Deus. Ele transfere a paz da sala do trono para nosso espírito, e, como resultado, somos fortalecidos em vez de nos sentir sobrecarregados. E, nas situações em que poderíamos ser dominados pela ansiedade, ficamos cheios de expectativa. Este é um lindo presente vindo do céu.

Os fatos não mudam a verdade, mas a verdade muda os fatos. O amor de Deus o manterá forte e o sustentará por muito tempo, pois o Senhor assume total responsabilidade por seu coração e pela proteção de sua mente. Enquanto exercemos gratidão e louvamos a Deus, ele construirá uma fortaleza impenetrável ao redor de nossa vida e nos protegerá de todo ataque. Muitos séculos depois que Paulo escreveu sua carta aos filipenses, Martinho Lutero escreveu o seguinte hino: "Deus é castelo forte e bom, defesa e armamento. Assiste-nos com sua mão, na dor e no tormento". Certamente, se o apóstolo tivesse ouvido essas palavras, ele teria balançado a cabeça positivamente com uma forte convicção. Ele conheceu em primeira mão a paz protetora de Deus, e nos promete que, seja o que for que estejamos passando nesta fase da vida, nós também a podemos conhecer.

Oração

Querido Deus e Pai, tu desenhaste e desejaste para nós uma vida de paz. Como és maravilhoso! A ti entrego minha vida e peço que me abençoes. Quero adorar-te diariamente, Pai, confiando em ti a todo momento e trilhando teus caminhos. Obrigado, pois em tua presença o medo desaparece. Em nome de Jesus. Amém.

Anotações

DECLARAÇÃO PARA ENFRENTAR A ANSIEDADE

Esta é uma declaração para enfrentar a ansiedade. Declare estas verdades bíblicas e experimente o poder da palavra viva e eficaz de Deus.

> Senhor, eu te entregarei todas as minhas ansiedades, pois tu cuidas de mim. (1Pedro 5.7)
> Quando eu tiver medo, confiarei em ti. Eu te louvo por tuas promessas e não temerei. (Salmos 56.3-4)
> Deus, tu disseste que não me deixará nem me abandonará. (Hebreus 13.5)
> E estou convencido de que nem morte nem vida, nada, em toda a criação, jamais poderá me separar do teu amor revelado em Cristo Jesus, nosso Senhor. (Romanos 8.38-39)
> Busquei a ti, Senhor, e tu me respondeste; livraste-me de todos os meus temores. (Salmos 34.4)
> Não terei medo, pois tu estás comigo; não desanimarei, pois és o meu Deus. Tu me fortaleces e me ajudas, e me sustentas com tua vitoriosa mão direita. (Isaías 41.10)
> Tu me deste autoridade para pisar sobre cobras e escorpiões, e sobre todo o poder do inimigo. Nada me causará dano. (Lucas 10.19)
> Pois tu não me deste um Espírito que produz temor e covardia, mas sim que me dá poder, amor e autocontrole. (2Timóteo 1.7)
> Em todas as situações, levantarei o escudo da fé, para deter as flechas de fogo do maligno. (Efésios 6.16)
> Não terei medo, pois tu serás meu escudo, e minha recompensa será muito grande. (Gênesis 15.1)

Que nosso amado Deus abençoe sua vida, acalme sua mente e seu coração, e lhe dê paz. Em nome de Jesus. Amém.

CONTEÚDO EXTRA

 Ouça a história "Jesus acalma uma tempestade"

SEMANA 1 2 **3** 4

Coragem e sabedoria

> Da mesma forma que o temor do mundo é fraqueza, o temor de Deus é grande força.
>
> Ambrósio

DIA 1

Onde encontrar coragem

JOSUÉ 1.1-9

Depois que Moisés, servo do Senhor, morreu, o Senhor disse a Josué, filho de Num, auxiliar de Moisés: "Meu servo Moisés está morto; chegou a hora de você conduzir todo este povo, os israelitas, para atravessar o rio Jordão e entrar na terra que eu lhes dou. Eu darei a vocês todo o lugar em que pisarem, conforme prometi a Moisés, desde o deserto do Neguebe, ao sul, até os montes do Líbano, ao norte; desde o rio Eufrates, a leste, até o mar Mediterrâneo, a oeste, incluindo toda a terra dos hititas. Enquanto você viver, ninguém será capaz de lhe resistir, pois eu estarei com você, assim como estive com Moisés. Não o deixarei nem o abandonarei. Seja forte e corajoso, pois você conduzirá este povo para tomar posse da terra que jurei dar a seus antepassados. Seja somente forte e muito corajoso. Tenha o cuidado de cumprir toda a lei que meu servo Moisés lhe ordenou. Não se desvie dela nem para um lado nem para o outro. Assim você será bem-sucedido em tudo que fizer. Relembre continuamente os termos deste Livro da Lei. Medite nele dia e noite, para ter certeza de cumprir tudo que nele está escrito. Então você prosperará e terá sucesso em tudo que fizer. Esta é minha ordem: Seja forte e corajoso! Não tenha medo nem desanime, pois o Senhor, seu Deus, estará com você por onde você andar".

Devocional

Virtudes são traços de caráter que somos exortados a desenvolver. Coragem é a capacidade de enfrentar o medo, a incerteza e a intimidação. É a força de caráter que nos permite suportar as adversidades. Diante das tensões da vida, frequentemente nos vemos diante da necessidade de exercer essa virtude. C. S. Lewis escreveu: "A coragem não é simplesmente uma das virtudes, mas a forma que toda virtude assume quando está sendo testada". Coragem é aquilo que sustenta nossa fé, nossa esperança e nosso amor à medida que percorremos tempos de dificuldade.

Na passagem de hoje vemos Deus encorajar Josué, como um treinador faz com seu time no intervalo apresentando uma mensagem que muda todo o cenário. Quase conseguimos ouvir a trilha sonora motivacional acompanhando as palavras de Deus enquanto ele instrui Josué a entrar em Canaã. O conselho de Deus se concentra em torno de uma frase: "Seja forte e corajoso". Claramente vemos aqui que tomar posse da promessa de Deus não aconteceria por acaso, mas exigiria firmeza. Não se pode cumprir a vontade de Deus "acidentalmente". Pelo contrário, precisamos de intenção e coragem. Para experimentar as promessas de Deus, devemos ser guiados pelo Espírito Santo e buscar ousadamente a vontade do Pai.

Felizmente, Deus também disse onde Josué encontraria coragem. Em primeiro lugar, pela meditação nas Escrituras. Deus falou com Josué: "Tenha o cuidado de cumprir toda a lei". Para obedecer aos mandamentos de Deus, precisamos primeiro conhecê-los. A Bíblia é a Palavra viva de Deus, e nela encontramos verdades, promessas e encorajamento. Ela nos proporciona uma perspectiva eterna e nos lembra quem é nosso Deus todo-poderoso. Desacelere e contemple-a, e você certamente será fortalecido e encorajado para enfrentar circunstâncias difíceis.

Em segundo lugar, obedeça a Deus. O Senhor diz a Josué que a obediência é a raiz da coragem e o caminho para a vitória. Viver à maneira de Deus é, sem sombra de dúvida, a melhor escolha. Trilhe o caminho estreito e escolha o que é certo, mesmo quando sentir vontade de desviar. Escolha andar com Deus hoje e veja sua coragem se multiplicar. Finalmente, viva na presença de Deus. O mundo nos diz que encontramos coragem olhando para dentro, mas na verdade a encontramos olhando para cima. Deus disse: "o Senhor, seu Deus, estará com você por onde você andar". Essa é a nossa principal fonte de força. Quando entendemos que Deus está conosco, encontramos coragem para perseverar. Jesus é tudo de que precisamos. Por isso, tenha bom ânimo. Inspire fundo e receba a força que vem da presença de Deus.

Oração

Querido Deus e Pai, obrigado por estares sempre comigo. Em tua presença e por intermédio de tua Palavra eu posso encontrar coragem. Ajuda-me a ser forte hoje. Onde houver medo em minha vida, mostra-me como substituí-lo por fé. Em meio a circunstâncias difíceis, dá-me força para fazer a coisa certa. Em nome de Jesus. Amém.

Anotações

> Senhor, dá-me um coração tranquilo que não pede para entender,
> mas que, com confiança, avança na escuridão guiado por tua Palavra.
> Elizabeth Elliot

DIA 2

Como desenvolver coragem

SALMOS 56.1-4

Ó Deus, tem misericórdia de mim, pois sofro perseguição; meus inimigos me atacam o dia todo. Vivo perseguido por aqueles que me caluniam, e muitos me atacam abertamente. Quando eu tiver medo, porém, confiarei em ti. Louvo a Deus por suas promessas, confio em Deus e não temerei; o que me podem fazer os simples mortais?

Devocional

A obra *Compramos um zoológico* conta a história real do jornalista Benjamin Mee, que levou sua família para a zona rural da Inglaterra e comprou um zoológico em péssimo estado. A decisão resultou numa montanha-russa emocional para a família. À medida que reformavam o zoológico, eles navegaram por dificuldades financeiras, doenças e situações tensas. No livro, Benjamin compartilha um lema de vida: "Às vezes tudo de que você precisa são vinte segundos de coragem insana. Literalmente vinte segundos de bravura destemida. E eu lhe prometo que algo maravilhoso virá disso". A coragem em breves rajadas, sugere Mee, é uma virtude poderosa. Mesmo não se considerando corajoso, você pode ao menos se impulsionar a agir com coragem por vinte segundos, e isso mudará tudo. A coragem começa pequena.

No salmo de hoje, Davi articula uma fórmula para desenvolver coragem: "Quando eu tiver medo [...] confiarei em ti". Nesse verso ele nos oferece três passos para sermos mais corajosos. Primeiro, a importância de reconhecer nossos medos e apresentá-los a Deus. Coragem não significa fingir que não estamos inseguros. Deus nunca nos pede que reprimamos ou ignoremos o que sentimos. Coragem é a capacidade de reconhecer os medos e viver corajosamente apesar deles. Ter medo é parte natural da condição humana. Se você está se sentindo assustado hoje, leve seu medo a Jesus.

"Confiarei" traz um ponto valioso. Esse verbo ativo indica uma escolha intencional de Davi para mudar seu medo. Em vez de cruzar os braços, Davi age exercendo a fé. Embora seja normal experimentar o medo, não devemos nutri-lo. Opte por deixar o medo para trás e abraçar a confiança pela fé em Jesus.

Por último, a expressão "em ti" completa a frase. Uma vez que Davi decidiu agir, chegamos ao mais importante, que é em quem ele deposita sua confiança. Deus é o objeto de nossa fé, nosso antídoto para o medo e a verdadeira fonte de paz. Não podemos viver tentando "parar de temer". Devemos substituir nosso medo por algo — ou melhor, Alguém — maior. Confiar em Deus põe o medo para correr.

Reconheça seus medos, exerça sua fé, confie em Deus. E repita isso quantas vezes for necessário. Esse é um padrão para você desenvolver sua própria coragem. Comece aos poucos, use a dica de Benjamin Mee e implemente pedaços de vinte segundos de coragem. Isso pode transformar sua vida.

Oração

Amado Deus e Pai, em ti deposito minha confiança. Porque tu estás comigo, já não preciso temer coisa alguma. Ajuda-me a viver com coragem hoje. Onde o medo tem tomado conta de mim, dá-me forças para viver pela fé. Fala comigo mediante teu Espírito Santo, concedendo-me direção e auxílio. Em nome de Jesus eu oro. Amém.

Anotações

> A esperança tem duas filhas lindas, a indignação e a coragem;
> a indignação nos ensina a não aceitar as coisas como estão;
> a coragem, a mudá-las.
>
> Agostinho de Hipona

DIA 3

Por que precisamos de coragem?

2TIMÓTEO 1.6-10

Por isso quero lembrá-lo de avivar a chama do dom que Deus lhe deu quando impus minhas mãos sobre você. Pois Deus não nos deu um Espírito que produz temor e covardia, mas sim que nos dá poder, amor e autocontrole. Portanto, jamais se envergonhe de falar a outros sobre nosso Senhor. E também não se envergonhe de mim, que estou preso por causa dele. Com a força que Deus lhe dá, esteja pronto para sofrer comigo por causa das boas-novas. Pois Deus nos salvou e nos chamou para uma vida santa, não porque merecêssemos, mas porque este era seu plano desde os tempos eternos: mostrar sua graça por meio de Cristo Jesus. E agora ele tornou tudo isso claro para nós com a vinda de Cristo Jesus, nosso Salvador, que destruiu o poder da morte e iluminou o caminho para a vida e a imortalidade por meio das boas-novas, das quais Deus me escolheu para ser pregador, apóstolo e mestre.

Devocional

O senhor dos anéis, de J. R. R. Tolkien, é uma das histórias mais conhecidas do mundo. Em *As duas torres*, segundo livro da trilogia, Frodo e Sam, os heróis *hobbits*, estão perdidos em sua jornada para destruir o anel do poder. Diante da possibilidade de desistir, Sam faz um discurso comovente. Fazendo referência a contos fantásticos, o corajoso *hobbit* pronuncia as seguintes palavras: "As pessoas dessas histórias tiveram muitas chances de voltar atrás, só que não o fizeram. Elas continuaram, porque estavam se agarrando em algo: no bem que há neste mundo, Sr. Frodo, pelo qual vale a pena lutar".

Quando tudo parecia perdido, a coragem manteve os *hobbits* firmes na jornada à frente deles. A coragem os capacitou a continuar lutando pelo bem e resistindo ao mal. Embora *O senhor dos anéis* seja ficção, todos nós sabemos que essa mensagem é verdadeira. A narrativa de Tolkien tem o mesmo tom que a exortação de Paulo a Timóteo na passagem de hoje. O princípio é o seguinte: a coragem é inegociável quando se tem algo pelo que lutar. É a virtude de que precisamos hoje como cristãos para garantir que não desistamos e continuemos a defender o que é certo.

Ao seguir Jesus, lutamos por uma causa maior do que nós mesmos. Somos mensageiros da mais grandiosa notícia do mundo: o evangelho. Essa notícia traz vida a todos os que a recebem. Jesus é o Senhor, e ele morreu para nos salvar. O problema é que essa notícia nem sempre é bem recebida, e a Bíblia é clara: muitas vezes seremos rejeitados ou perseguidos por compartilhar a mensagem de Cristo e do arrependimento. Mas isso não deve nos impedir, pois esse é o bem pelo qual vale a pena lutar, ainda que haja sofrimento. Por isso necessitamos de coragem.

Felizmente, não temos de alcançar tudo isso sozinhos. "Pois Deus não nos deu um Espírito que produz temor e covardia, mas sim que nos dá poder, amor e autocontrole." Nem sempre sentiremos coragem plena, mas Deus está conosco. Seu Espírito expulsa o medo e nos concede poder, amor e autocontrole. Quando decidimos lutar pela fé, Deus nos dá a força necessária para perseverar. A coragem é inestimável, e todos precisamos dela. Sem ela, não conseguiremos viver pelo que sabemos ser verdade. Portanto, aproxime-se de Deus hoje e deixe que seu Espírito o encha de coragem para viver sem medo. Sempre valerá a pena viver por Cristo e lutar pelo evangelho.

Oração

Amado Deus e Pai, obrigado por teu Espírito que me fortalece. Contigo ao meu lado não preciso temer. Posso viver corajosamente para tua glória, compartilhando tuas boas-novas aonde quer que eu vá. Enche-me de coragem hoje e ensina-me a viver sem covardia pela causa de teu reino. Em nome de Jesus. Amém.

Anotações

> A Bíblia é o livro mais grandioso; estudá-lo é a mais nobre das atividades; compreendê-lo, o mais elevado dos objetivos.
> Charles C. Ryrie

DIA 4

Onde encontrar sabedoria

TIAGO 1.1-6

Eu, Tiago, escravo de Deus e do Senhor Jesus Cristo, envio esta carta às doze tribos espalhadas pelo mundo. Saudações. Meus irmãos, considerem motivo de grande alegria sempre que passarem por qualquer tipo de provação, pois sabem que, quando sua fé é provada, a perseverança tem a oportunidade de crescer. E é necessário que ela cresça, pois quando estiver plenamente desenvolvida vocês serão maduros e completos, sem que nada lhes falte. Se algum de vocês precisar de sabedoria, peça a nosso Deus generoso, e receberá. Ele não os repreenderá por pedirem. Mas, quando pedirem, façam-no com fé, sem vacilar, pois aquele que duvida é como a onda do mar, empurrada e agitada pelo vento.

Devocional

Hoje começaremos a refletir sobre a sabedoria, e nos próximos dias investigaremos como podemos crescer nessa importante arte. A sabedoria é definida como a capacidade de discernir a ação apropriada em determinada situação, levando em consideração as potenciais consequências. Às vezes, a sabedoria pode parecer inatingível. Não sabemos onde encontrá-la ou como vivê-la na prática. Consequentemente, fazemos más escolhas. Isso já aconteceu com você? O mundo tem muitos conselhos e frases de efeito com suposta sabedoria para oferecer. Mas, na verdade, conselhos triviais não são capazes de satisfazer nosso desejo por sabedoria. Felizmente, as Escrituras dão uma resposta mais profunda.

Nós, cristãos, deveríamos ter mais facilidade para entender a sabedoria, pois contamos com um ponto de referência imutável que é Deus. A sabedoria bíblica é a essência de Deus. Ele é, por natureza, a sabedoria perfeita. Ainda mais tangivelmente, a sabedoria é personificada em Jesus. Se você quer saber como é a sabedoria, basta ler os Evangelhos e refletir sobre como Jesus viveu.

Na passagem de hoje, Tiago explica o que isso significa. Se desejamos sabedoria, devemos ir à sua verdadeira fonte. Isto é, devemos pedi-la a Deus. Embora possa parecer óbvio, é um contraponto com os caminhos do mundo. Nossa cultura nos encoraja a buscar sabedoria em todos os lugares, exceto em Deus. Dizem-nos para olhar para dentro e para fora, sempre buscando o conhecimento humano, mas raramente para olhar para cima, para o Criador de todas as coisas. Sem dúvida a ciência e a experiência humana são inestimáveis para nossa compreensão da vida, mas elas devem sempre ocupar o segundo lugar, depois da sabedoria de Deus. Deus dá a sabedoria aos homens, e não o contrário.

Se você sente que hoje lhe falta sabedoria, não continue assim. A epístola de Tiago se destina particularmente àqueles que estão passando por provações, por isso, se você está com alguma dificuldade, a passagem de hoje é para você. Leia novamente o incentivo de Tiago: "Se algum de vocês precisar de sabedoria, peça a nosso Deus generoso, e receberá". À medida que segue seu dia, confie firmemente que Deus é fiel a suas promessas. Tome posse dessa verdade e ore pedindo sabedoria, e ele a dará a você generosamente.

Oração

Senhor Deus, venho hoje à tua presença para te pedir sabedoria. Reconheço que não consigo viver e perseverar na fé sozinho. Preciso de ti. Obrigado por seres tão generoso comigo, Pai. Sinto-me constrangido por tua infinita bondade e graça. Dá-me completa confiança em ti em cada situação, principalmente diante dos desafios. Em nome de Jesus. Amém.

Anotações

> Em um mundo onde todos querem mostrar que sabem tudo, devemos admirar aqueles que reconhecem que precisam aprender algo.
> Bruno Euclides

DIA 5

Como desenvolver sabedoria

PROVÉRBIOS 6.6-11

Aprenda com a formiga, preguiçoso! Observe como ela age e seja sábio. Embora não tenha príncipe, nem autoridade, nem governante, ela trabalha duro durante todo o verão, juntando comida para o inverno. Mas você, preguiçoso, até quando dormirá? Quando sairá da cama? Um pouco mais de sono, mais um cochilo, mais um descanso com os braços cruzados, e a pobreza o assaltará como um bandido; a escassez o atacará como um ladrão armado.

Devocional

Como podemos desenvolver de forma prática a virtude da sabedoria? Tendo recebido a sabedoria que pedimos a Deus, como podemos torná-la parte permanente de nossa vida? Provérbios é maravilhosamente útil para aqueles que buscam ser sábios. O objetivo declarado do livro é transmitir sabedoria ao povo de Deus. Ajudar no desenvolvimento da sabedoria é a razão pela qual o livro de Provérbios existe.

A passagem de hoje fixa nosso olhar em algo inusitado: as formigas, silenciosas mas espetaculares. Elas são conhecidas como algumas das criaturas mais fortes do mundo em proporção a seu tamanho. São insetos sociais e vivem em colônias, os formigueiros, em meio a ninhos construídos intrincadamente. O objetivo de Provérbios ao mencionar as formigas é nos advertir contra a preguiça. Trata-se de sabedoria simples e prática. Assim como as formigas trabalham duro e não precisam que líderes e superiores as obriguem a fazer seu trabalho, também nós devemos ser proativos e disciplinados na realização de qualquer atividade. Se dermos lugar à preguiça e colocarmos o descanso num lugar inadequado em nossa lista de prioridades, perderemos as colheitas da vida e acabaremos na escassez.

Lições de vida como essa são abundantes em Provérbios, e elas nos são úteis e inspiradoras. Ainda que a exortação específica da passagem de hoje não pareça aplicável à sua circunstância individual, há um princípio maior nela: se quisermos desenvolver sabedoria, devemos ser ensináveis. Essa é uma chave transformadora para nossa vida. Ser ensinável significa estar pronto e aberto para aprender a respeito de qualquer coisa. É incrível o que você pode descobrir sobre Deus, sobre você mesmo e sobre o mundo quando simplesmente resolve abrir olhos e ouvidos para aqueles à sua volta. Você pode aprender com as pessoas e as formigas. Pode aprender com os sucessos e os fracassos. Pode aprender com toda a criação de Deus, desde que esteja atento e disposto a isso.

Crescer em sabedoria requer a humildade de aceitar que você pode estar errado ou desconhecer algo. Exige prontidão e entusiasmo para ser ensinado. Muitas vezes, isso significa deixar de lado o orgulho para reconhecer que pode haver outra maneira de enxergar as coisas. Às vezes, é bom ser a pessoa com mais conhecimento do ambiente. Mas se você realmente quer se tornar sábio, procure ambientes onde você é quem sabe menos e então escute e decida ser ensinável.

Oração

Querido Deus e Pai celestial, ajuda-me a crescer em sabedoria. Tenho fome e sede do conhecimento que me leva para mais perto de ti. Onde tenho agido de forma insensata e soberba, mostra-me como corrigir e melhorar. Onde eu estiver enganado, mostra-me a verdade e dá-me coragem para admitir meu erro. Ensina-me a ser humilde para que eu possa crescer também em sabedoria. Não quero que minha recusa em aprender me prive dos propósitos que tu tens para mim. Em nome de Jesus. Amém.

Anotações

> A quantidade de tempo que passamos com Jesus,
> meditando em sua Palavra e sua majestade, buscando sua face,
> é o que estabelece nosso galardão no reino.
> Charles Stanley

DIA 6

Porque precisamos de sabedoria

MATEUS 7.24-29

[Jesus disse:] "Quem ouve minhas palavras e as pratica é tão sábio como a pessoa que constrói sua casa sobre uma rocha firme. Quando vierem as chuvas e as inundações, e os ventos castigarem a casa, ela não cairá, pois foi construída sobre rocha firme. Mas quem ouve meu ensino e não o pratica é tão tolo como a pessoa que constrói sua casa sobre a areia. Quando vierem as chuvas e as inundações e os ventos castigarem a casa, ela cairá com grande estrondo." Quando Jesus acabou de dizer essas coisas, a multidão ficou maravilhada com seu ensino, pois ele ensinava com verdadeira autoridade, diferentemente dos mestres da lei.

Devocional

Na passagem de hoje, Jesus nos ensina que a sabedoria é a chave para construir nossa vida sobre uma base sólida. Sem sabedoria, acabaremos colapsando. Procure lembrar-se da pior tempestade que você já vivenciou. Consegue ouvir o som dela? Imagine-se do lado de fora durante essa tempestade, ou em um abrigo frágil. Imagine o caos, o vento forte. Seu abrigo está chacoalhando, os objetos caindo, suas roupas encharcadas. Como você se sente? Impotente? Assustado?

Agora, imagine novamente. Desta vez, você está bem protegido. Há uma lareira acesa, e você está embrulhado num cobertor. A tempestade é a mesma, o vento e a chuva se mostram violentos, mas você está dentro de uma casa segura. Você se sente protegido e aconchegado? Evitar as tempestades da vida é impossível. Viver é construir uma fundação segura o suficiente para garantir que as tempestades não nos derrubem. Jesus nos ensina que essa é a diferença entre construir a vida com sabedoria e sem sabedoria. Um construtor sábio sobreviverá às tempestades. Um insensato não. Não é tarde demais para mudar o tipo de construtor que você é.

Jesus continua e revela como é uma vida sábia: "Quem ouve minhas palavras e as pratica é tão sábio como a pessoa que constrói sua casa sobre uma rocha firme". Vemos que a sabedoria em Cristo tem duas partes. Primeiramente, a sabedoria envolve ouvir o ensino de Jesus. Não conseguimos conhecer os caminhos de Deus se não meditarmos na Bíblia. Por meio dela e do Espírito Santo, Deus está constantemente disponível para nos guiar. Porém, precisamos procurá-lo proativamente e lhe dar a atenção devida. Por meio da oração, do congregar, do devocional diário, das disciplinas espirituais, investimos tempo em nosso relacionamento com Deus.

Em segundo lugar, a sabedoria envolve cumprir as palavras de Jesus. Nossa fé deve ser posta em prática. Não adianta ser um estudioso da Bíblia se nunca faz o que ela ordena. O relacionamento dos cristãos com Deus não é teórico, mas real. Consequentemente, nossa forma de viver e as escolhas que fazemos são dirigidas pela Palavra de Deus, e assim daremos frutos. Ao meditar nas Escrituras e ouvir a Deus você crescerá em sabedoria. Ao viver à maneira do Senhor, você construirá alicerces inabaláveis para sua vida, fundamentados em Cristo. De repente, você descobrirá que as tempestades já não o abalam como antes. Com a vida estabelecida em Cristo, você sempre terá o que precisa.

Oração

Amado Senhor Jesus, tu és a fonte de toda sabedoria e conhecimento. Preciso de ti, ó Deus. Desejo ouvir tua voz e absorver todo o ensino que tu deixaste em tua Palavra. Guia-me por meio de teu Espírito Santo, para que eu tome decisões sábias em tudo o que faço. Quero construir minha vida sobre ti, a Rocha Eterna. Em teu santo nome. Amém.

Anotações

> São estas as marcas da igreja ideal: amor, sofrimento, santidade,
> sã doutrina, genuinidade, evangelismo e humildade.
> É o que Cristo deseja encontrar em suas igrejas ao andar entre elas.
> John Stott

DIA 7

Refletindo sobre virtude

ROMANOS 12.9-16

Amem as pessoas sem fingimento. Odeiem tudo que é mau. Apeguem-se firmemente ao que é bom. Amem-se com amor fraternal e tenham prazer em honrar uns aos outros. Jamais sejam preguiçosos, mas trabalhem com dedicação e sirvam ao Senhor com entusiasmo. Alegrem-se em nossa esperança. Sejam pacientes nas dificuldades e não parem de orar. Quando membros do povo santo passarem por necessidade, ajudem com prontidão. Estejam sempre dispostos a praticar a hospitalidade. Abençoem aqueles que os perseguem. Não os amaldiçoem, mas orem para que Deus os abençoe. Alegrem-se com os que se alegram e chorem com os que choram. Vivam em harmonia uns com os outros. Não sejam orgulhosos, mas tenham amizade com gente de condição humilde. E não pensem que sabem tudo.

Devocional

Jesus nos convida a experimentar uma nova vida com ele. Parte dessa jornada envolve uma profunda transformação de caráter à medida que Cristo nos molda à sua imagem. Nosso objetivo ao compreender as virtudes cristãs é alcançar uma direção, os objetivos e os ideais para nossa vida pelos quais podemos orar e trabalhar a fim de recebê-los de Deus. Queremos crescer nas virtudes para dar melhor testemunho de Jesus e impactar o mundo com nossa vida. Hoje refletiremos sobre a melhor maneira de aplicar o que aprendemos.

O teólogo Tom Wright sugere que o caráter humano é o "padrão de pensamento e de ação que perpassa uma pessoa". O caráter é quem somos em nossa essência. Como cristãos, nosso objetivo é que nosso caráter se assemelhe ao de Cristo. Por isso queremos crescer em virtude, e isso envolve dois passos fundamentais. Em primeiro lugar, precisamos pedir constantemente a ajuda de Deus. Não podemos simplesmente "querer" nos tornar pessoas melhores. Só o Espírito Santo tem poder para nos tornar parecidos com o Senhor. A boa notícia é que santificar seu povo é algo que Deus deseja fazer. Então reflita sobre os aspectos em que você tem falhado e qual virtude tem faltado em sua vida e peça que Deus aja. Ore e confie que ele trabalhará em você.

Em segundo lugar, uma vez que buscamos a ajuda de Deus, precisamos nos comprometer a construir hábitos que auxiliem na transformação de nosso caráter, e abandonar hábitos contrários às virtudes. Pense no que você precisa deixar de lado, como preguiça, crítica, pessimismo, e comece a praticar o oposto. Agir assim não será simples no início, mas encare isso como aprender uma língua ou praticar um instrumento musical: quanto mais você pratica, mais natural se torna. Observe a si mesmo em seu dia a dia e comece com mudanças pequenas, sempre confessando suas falhas diante de Deus e pedindo auxílio naquilo que você precisa mudar. Você se surpreenderá com as mudanças que a disciplina espiritual e a proximidade com Deus trarão para sua vida.

A virtude cristã é composta de milhares de pequenas escolhas, cada uma delas feita com o Senhor em mente. É decidir repetidamente fazer o que é certo, mesmo quando não sentimos vontade de fazê-lo. E o Espírito Santo nos acompanha e auxilia constantemente nesse propósito. Busque a transformação de seu caráter em Deus hoje. E creia que pelo poder dele você pode tornar-se alguém virtuoso como Cristo, trilhando o caminho da santificação, um passo de cada vez.

SEMANA 3

Oração

Querido Deus e Pai, obrigado por teu Espírito Santo fortalecedor que está trabalhando dentro de mim. Obrigado por seres tão paciente e misericordioso comigo, e por me santificares. Quero me tornar mais semelhante a ti. Guia-me, usa-me e transforma-me. Renova e molda meu caráter conforme o de Cristo, para que eu possa te refletir melhor para aqueles ao meu redor. Em nome de Jesus. Amém.

Anotações

DECLARAÇÃO PARA SER FORTE E CORAJOSO

Esta declaração tem o intuito de direcionar seus pensamentos para o Senhor e posicionar você com força e coragem para enfrentar um novo dia. Separe um momento para declarar estas verdades em voz alta ou em seu íntimo, diante de Deus.

Declaro que hoje será um dia bom e que viverei os planos de Deus para mim.
Declaro que estou entrando em minha herança e recebendo as promessas de Deus, cada uma delas.
Declaro que nada ficará no meu caminho e nenhum inimigo prevalecerá contra mim, pois Deus está comigo.
Declaro que o Senhor nunca me deixará nem me desamparará.
Declaro que sou forte e corajoso. Não estou com medo nem desanimado.
Declaro que me alimentarei da Palavra de Deus hoje.
Declaro que compartilharei e mostrarei o amor de Cristo às pessoas ao meu redor.
Declaro que serei constante, inabalável e abundante em amor.
Declaro que guardarei a Palavra de Deus em meu coração e obedecerei a seus preceitos.
Declaro que estou entrando em intimidade com meu Deus, pois é nele que todas essas coisas serão realizadas.
Declaro que Deus é Todo-Poderoso, meu Criador, meu Redentor, e ele está no controle.
Declaro que é da vontade de Deus que, assim como Jesus, eu pregue boas-novas aos pobres, liberdade aos oprimidos, recuperação da visão aos cegos, e proclame o ano da graça do Senhor.
Assim declaro em nome de Jesus Cristo.
Amém.

Ouça o testemunho de Amy Carmichael

SEMANA 1 2 3 **4**

A virtude da fé

> Problemas suportados com paciência cooperam para nosso aperfeiçoamento espiritual.
> A. W. Tozer

DIA 1

Fé nas provações

TIAGO 1.2-8,12-15

Meus irmãos, considerem motivo de grande alegria sempre que passarem por qualquer tipo de provação, pois sabem que, quando sua fé é provada, a perseverança tem a oportunidade de crescer. E é necessário que ela cresça, pois quando estiver plenamente desenvolvida vocês serão maduros e completos, sem que nada lhes falte. Se algum de vocês precisar de sabedoria, peça a nosso Deus generoso, e receberá. Ele não os repreenderá por pedirem. Mas, quando pedirem, façam-no com fé, sem vacilar, pois aquele que duvida é como a onda do mar, empurrada e agitada pelo vento. Ele não deve esperar receber coisa alguma do Senhor, pois tem a mente dividida e é instável em tudo que faz. [...] Feliz é aquele que suporta com paciência as provações e tentações, porque depois receberá a coroa da vida que Deus prometeu àqueles que o amam. E, quando vocês forem tentados, não digam: "Esta tentação vem de Deus", pois Deus nunca é tentado a fazer o mal, e ele mesmo nunca tenta alguém. A tentação vem de nossos próprios desejos, que nos seduzem e nos arrastam. Esses desejos dão à luz o pecado, e quando o pecado se desenvolve plenamente, gera a morte.

Devocional

Se você e um amigo da mesma idade começassem a conversar sobre os altos e baixos da vida cristã, certamente não haveria momento na conversa em que dissessem: "Quero ter mais tristeza e lutas em minha caminhada com Jesus". Nenhuma proposta de crescimento espiritual nos levaria a aceitar alegre e voluntariamente uma temporada de sofrimento. Entretanto, se você tivesse a mesma conversa com um cristão experiente que já caminha com o Senhor há anos, ele lhe diria que escolher viver apenas as partes fáceis da vida limitaria consideravelmente a experiência de ver a glória final que Deus tem para você.

Se esta verdade parece difícil de aceitar em meio às provações que você vem enfrentando neste momento, os versículos da passagem de hoje podem ajudar. Meditar nas palavras de Tiago nos firmará na Rocha em meio às dificuldades. Tiago nos encoraja da seguinte forma: "considerem motivo de grande alegria sempre que passarem por qualquer tipo de provação". Esse verso é facilmente esquecido quando acabamos presos no trânsito ou o restaurante confunde nosso pedido. Que dirá quando passamos por uma dor verdadeira, uma tormenta sem fim ou um quebrantamento do coração!

Dizer que devemos nos alegrar com as dores pode nos fazer sentir como se Tiago não entendesse nossa situação, e nos faz cogitar que suas palavras não sejam realistas. Mas Tiago não diz que devemos sentir alegria pelas dificuldades. Em vez disso, ele nos diz que as consideremos motivo de alegria por causa do bem que o Senhor pode fazer brotar nas rachaduras daquilo que está quebrado. Experimentar alegria na vida está diretamente ligado a ter fé em Deus no meio das dificuldades. Não devemos projetar em Deus nossa desesperança e questionar a fidelidade dele com base em nossa perspectiva limitada dos fatos.

Precisamos confiar nas promessas de Deus. De alguma forma, no reino de Deus, a cruz sempre leva à coroa. Ou seja, o sofrimento terreno precede a glória eterna. A fé nos permite ter certeza de que Jesus estará ao nosso lado em qualquer situação que enfrentarmos. Ele pode usar nossa tribulação para trabalhar algo belo em nossa vida, algo que será uma bênção para nossa caminhada individual e para o reino dele como um todo. Como ocorreu com o ministério terreno de Cristo, até mesmo as coisas mais difíceis de nossa vida neste mundo podem ser usadas para nosso bem e para a glória do Senhor.

Oração

Amado Pai celestial, quero ser um soldado fiel para a causa de teu reino. Embora o inimigo guerreie contra mim, permanecerei em tua verdade e em tua Palavra. Peço-te que aumentes minha fé e me permitas ver, com olhos espirituais, aquilo que é invisível. Sei que em ti todo fardo é suave e todo jugo é leve. Ajuda-me a considerar as provações uma alegria, como um servo bom e fiel. Em nome de Jesus. Amém.

Anotações

> O conhecimento de Deus pode ser plenamente dado à humanidade somente em uma Pessoa, nunca em uma doutrina. A fé não é a posse da doutrina correta, mas a comunhão pessoal com o Deus vivo.
>
> William Temple

DIA 2

O problema da parcialidade

TIAGO 2.1-9

Meus irmãos, como podem afirmar que têm fé em nosso glorioso Senhor Jesus Cristo se mostram favorecimento a algumas pessoas? Se, por exemplo, alguém chegar a uma de suas reuniões vestido com roupas elegantes e usando joias caras, e também entrar um pobre com roupas sujas, e vocês derem atenção ao que está bem vestido, dizendo-lhe: "Sente-se aqui neste lugar especial", mas disserem ao pobre: "Fique em pé ali ou sente-se aqui no chão", essa discriminação não mostrará que agem como juízes guiados por motivos perversos? Ouçam, meus amados irmãos: não foi Deus que escolheu os pobres deste mundo para serem ricos na fé? Não são eles os herdeiros do reino prometido àqueles que o amam? Mas vocês desprezam os pobres! Não são os ricos que oprimem vocês e os arrastam aos tribunais? Não são eles que difamam aquele cujo nome honroso vocês carregam? Sem dúvida vocês fazem bem quando obedecem à lei do reino conforme dizem as Escrituras: "Ame seu próximo como a si mesmo". Mas, se mostram favorecimento a algumas pessoas, cometem pecado e são culpados de transgredir a lei.

Devocional

Na passagem de hoje, Tiago exorta a igreja primitiva em Jerusalém com um chamado à humildade e ao amor fraternal, trazendo à memória que todos somos carentes da graça de Deus. Ele relata que havia esnobes entre os santos daquela comunidade, e lhes advertiu que esse orgulho era perigoso e poderia comprometer sua fé. Não apenas para a pessoa que estava sendo julgada, mas principalmente para aqueles que estavam julgando e fazendo acepção de pessoas. O dano que esse comportamento causa é grande. Quando desonramos e desconsideramos os outros, não podemos aprender com eles. E, quando olhamos para eles, não os vemos com o olhar de misericórdia de Jesus.

Tiago ensinou que valorizar os outros com base nos padrões deste mundo não é a conduta de um discípulo. No início do texto que lemos ele questiona os santos: "como podem afirmar que têm fé em nosso glorioso Senhor Jesus Cristo se mostram favorecimento a algumas pessoas?". Além disso, julgar os outros por sua pobreza é infringir a lei de Deus: se você age arrogantemente e acredita que é melhor do que a outra pessoa, você não está amando seu próximo como a si mesmo e, portanto, está desobedecendo a Deus.

Compartilhar a vida com pessoas de diferentes raças, credos, países e origens nos santifica e edifica nossa fé. Vislumbramos a realidade de que, um dia, cada nação, tribo e língua se curvará diante do trono de Jesus. Assim nos tornamos mais como Cristo, fortalecendo nosso testemunho, aprendendo a valorizar o que importa para ele e compreendendo que as diferenças terrenas nada significam no reino dos céus.

Devemos aprender a nos alegrar com a diversidade do reino, e olhar para as pessoas buscando vê-las com os olhos de Deus, pela fé. Todos estamos no mesmo nível: aos pés da cruz. Todos precisamos desesperadamente da graça, do amor e do perdão de Deus. Se em nosso coração temos feito diferença entre os irmãos, como nos adverte Tiago, devemos nos arrepender e nos achegar humildemente diante de Deus pedindo-lhe que nos ensine a amar os outros com o amor de Cristo.

Oração

Amado Senhor Jesus, eu quero estar aos pés da cruz. Não me deixes esquecer que somos todos pecadores, carentes de um Salvador. Fortalece minha fé e torna meus olhos como os teus. Ajuda-me a ser misericordioso, gracioso, amoroso e bondoso para com todos ao meu redor, sem fazer acepção de pessoas. Que eu possa transmitir tua graça por onde eu for, para que outros venham a conhecer-te. Em teu santo nome. Amém.

Anotações

> O verdadeiro cristão conhece o seu próprio coração, sente que é um grande pecador.
> Jonathan Edwards

DIA 3

Ouvintes e praticantes da Palavra

TIAGO 1.19-27

Entendam isto, meus amados irmãos: estejam todos prontos para ouvir, mas não se apressem em falar nem em se irar. A ira humana não produz a justiça divina. Portanto, removam toda impureza e maldade e aceitem humildemente a palavra que lhes foi implantada no coração, pois ela tem poder para salvá-los. Não se limitem, porém, a ouvir a palavra; ponham-na em prática. Do contrário, só enganarão a si mesmos. Pois, se ouvirem a palavra e não a praticarem, serão como alguém que olha no espelho, vê a si mesmo, mas, assim que se afasta, esquece como era sua aparência. Se, contudo, observarem atentamente a lei perfeita que os liberta, perseverarem nela e a puserem em prática sem esquecer o que ouviram, serão felizes no que fizerem. Se algum de vocês afirma ser religioso, mas não controla a língua, engana a si mesmo e sua religião não tem valor. A religião pura e verdadeira aos olhos de Deus, o Pai, é esta: cuidar dos órfãos e das viúvas em suas dificuldades e não se deixar corromper pelo mundo.

Devocional

É fácil constatar que somos viciados em informação e alérgicos à execução. Se todos nós puséssemos em prática o que sabemos, já teríamos chegado aonde queremos chegar. Sabemos que devemos usar o fio dental todos os dias, mas acaso praticamos isso? Sabemos que devemos manter baixo nosso consumo de açúcar, mas o refrigerante e os doces são uma tentação irresistível para muitos de nós. Não é que não saibamos o que fazer, mas sim que dificilmente conseguimos fazer o que entendemos como certo e bom. Por que isso é tão difícil para nós?

As palavras de Tiago na passagem de hoje soam menos como uma carta de amor e mais como um alerta de saúde para nossa vida espiritual. Saber e fazer não são a mesma coisa, e é por isso que nossa fé sem obras é morta. Tiago, meio-irmão de Jesus, escreveu sua carta aos cristãos judeus perseguidos. Ele sabia que seria difícil para eles fazer a escolha certa: a de seguir Jesus no meio de uma perseguição severa. Tiago tinha consciência que agir com base na revelação que haviam recebido ao depositar sua fé em Jesus era a resposta e os ajudaria a permanecer firmes e fortes.

Mesmo naquela situação de imensa dificuldade, Tiago adverte aqueles cristãos de que seus comportamentos e atitudes precisavam corresponder a suas crenças internas. Ele não queria que eles apenas soubessem a verdade, mas que as palavras e atitudes deles demonstrassem a verdade. Isso é viver pela fé. Da mesma maneira que saber as melhores escolhas e hábitos para ter um corpo saudável não é o mesmo que pôr esse conhecimento em prática, assim é seguir Jesus: podemos saber o que é certo, mas se não fizermos o que é certo nossa fé é vã.

A marca de um verdadeiro cristão é a aplicação da Bíblia em sua vida, e não apenas seu estudo e conhecimento. Nosso modo de vida, nossos pensamentos, nossas palavras e escolhas devem evidenciar a fé que temos em Deus. Que nós, conduzidos pelo Espírito Santo, possamos escolher ser ao mesmo tempo ouvintes e praticantes da Palavra de Deus. Deus quer mais que nosso entendimento intelectual. Ele quer nossa obediência prática e ativa. Isso é o que nos santifica.

Oração

Amado Senhor Deus, quero ser um praticante de tua Palavra. Que eu possa absorver a verdade encontrada nas Escrituras e depois usá-la como combustível para viver minha fé de forma prática, impactando as pessoas ao meu redor e me parecendo mais contigo. Não posso fazer isso sozinho, mas por teu poder serei fortalecido e capacitado, e minha fé será inabalável, como a dos cristãos perseguidos que amaram e honraram teu nome até o fim. Em nome de Jesus. Amém.

Anotações

Precisamos de ventos e tempestades para exercitar nossa fé, para arrancar o ramo podre da autossuficiência e nos enraizar mais firmemente em Cristo.
Charles H. Spurgeon

DIA 4

Fé e obras

TIAGO 2.14-26

De que adianta, meus irmãos, dizerem que têm fé se não a demonstram por meio de suas ações? Acaso esse tipo de fé pode salvar alguém? Se um irmão ou uma irmã necessitar de alimento ou de roupa, e vocês disserem: "Até logo e tenha um bom dia; aqueça-se e coma bem", mas não lhe derem alimento nem roupa, em que isso ajuda? Como veem, a fé por si mesma, a menos que produza boas obras, está morta. Mas alguém pode argumentar: "Uns têm fé; outros têm obras". Mostre-me sua fé sem obras e eu, pelas minhas obras, lhe mostrarei minha fé! Você diz crer que há um único Deus. Muito bem! Até os demônios creem nisso e tremem de medo. Quanta insensatez! Vocês não entendem que a fé sem as obras é inútil? Não lembram que nosso antepassado Abraão foi declarado justo por suas ações quando ofereceu seu filho Isaque sobre o altar? Como veem, sua fé e suas ações atuaram juntas e, assim, as ações tornaram a fé completa. E aconteceu exatamente como as Escrituras dizem: "Abraão creu em Deus, e assim foi considerado justo". Ele até foi chamado amigo de Deus! Vejam que somos declarados justos pelo que fazemos, e não apenas pela fé. Raabe, a prostituta, é outro exemplo. Ela foi declarada justa por causa de suas ações quando escondeu os mensageiros e os fez sair em segurança por um caminho diferente. Assim como o corpo sem fôlego está morto, também a fé sem obras está morta.

Devocional

Quando paramos para ponderar sobre a oportunidade que temos como cristãos de fazer boas obras, seria útil que nos perguntássemos: "Com que finalidade faço isso?". A Bíblia deixa claro que não devemos nos esforçar para realizar boas obras a fim de que sejamos elogiados pelas pessoas. Não estamos nessa pelos aplausos da multidão. Na verdade, as Escrituras repetidamente nos encorajam a servir em segredo e a dar em silêncio. As boas obras não nos garantem um lugar no céu. Portanto, tendo nossa salvação assegurada pelo sangue de Jesus, alguns de nós poderiam se questionar: "Por que, então, nos engajar em boas obras?".

Nossas boas obras são uma resposta à salvação e à regeneração que Deus opera em nós. São os frutos, a consequência natural. Por meio das boas obras demonstramos nossa fé e fazemos o trabalho do reino de Cristo. Você e eu não fomos salvos por nossas boas obras, mas fomos salvos para fazer boas obras, obras que Deus havia planejado muito antes de darmos nosso primeiro suspiro ou de anotarmos nossa primeira lista de afazeres. Nós recebemos a bondade última que se origina de Cristo, e então ele nos molda à sua semelhança, capacitando-nos a também praticar atos de bondade. Portanto, não realizamos essas obras por nossa própria capacidade ou justiça, mas através de Cristo, que conduz nossos passos por veredas de justiça, por amor de seu nome. Não é resultado de nossa própria força, mas da mão sustentadora do Senhor.

O resultado de nossas boas obras para com os outros é um transbordamento do amor de Cristo. O testemunho irrepreensível dos cristãos muitas vezes é o instrumento que Deus usa para transformar a vida de mais e mais pessoas, despertando nelas o desejo de buscar Jesus e segui-lo.

Seja receptivo à voz de Deus. Busque de forma sincera compreender onde você pode ajustar suas atitudes para melhor honrar o nome dele. Peça a Deus auxílio para demonstrar bondade aos outros e realizar as boas obras que ele preparou para você fazer. Lembre-se: suas boas obras não são seu bilhete para o céu, mas revelam sua fé e a regeneração que já ocorreu em seu coração.

Oração

Querido Senhor Jesus, peço-te que faças crescer a fé que há em mim. Que eu seja uma testemunha fiel de teu amor neste mundo. Quero ter uma fé que inspire os outros, e obras que correspondam à maravilhosa obra de salvação que tu operaste em mim. Continua a guiar-me em todos os meus caminhos, e usa-me cada dia mais para tua glória. Em teu santo nome. Amém.

Anotações

*Uma pergunta interessante:
Se você pudesse comer as suas próprias palavras,
a sua alma seria nutrida ou envenenada?
Josemar Bessa*

DIA 5

Domando a língua

TIAGO 3.2-12

É verdade que todos nós cometemos muitos erros. Se pudéssemos controlar a língua, seríamos perfeitos, capazes de nos controlar em todos os outros sentidos. Por exemplo, se colocamos um freio na boca do cavalo, podemos conduzi-lo para onde quisermos. Observem também que um pequeno leme faz um grande navio se voltar para onde o piloto deseja, mesmo com ventos fortes. Assim também, a língua é algo pequeno que profere discursos grandiosos. Vejam como uma simples fagulha é capaz de incendiar uma grande floresta. E, entre todas as partes do corpo, a língua é uma chama de fogo. É um mundo de maldade que corrompe todo o corpo. Ateia fogo a uma vida inteira, pois o próprio inferno a acende. O ser humano consegue domar toda espécie de animal, ave, réptil e peixe, mas ninguém consegue domar a língua. Ela é incontrolável e perversa, cheia de veneno mortífero. Às vezes louva nosso Senhor e Pai e, às vezes, amaldiçoa aqueles que Deus criou à sua imagem. E, assim, bênção e maldição saem da mesma boca. Meus irmãos, isso não está certo! Acaso de uma mesma fonte pode jorrar água doce e amarga? Pode a figueira produzir azeitonas ou a videira produzir figos? Da mesma forma, não se pode tirar água doce de uma fonte salgada.

Devocional

Billy Graham, sem dúvida o evangelista mais famoso do século passado, disse certa vez: "Os problemas do mundo poderiam ser resolvidos da noite para o dia se os homens conseguissem vencer a própria língua". Todos nós podemos imaginar um mundo onde não houvesse raiva, calúnia, profanação, reclamação ou manipulação. Que transformação veríamos: a maré passaria do ódio para o amor, da raiva para a empatia, do mal-entendido para a compaixão e a bondade.

Não é à toa que a Bíblia afirma que aquele que domasse sua língua seria perfeito. Essa é uma tarefa dificílima, mas somos encorajados a nos esforçar para alcançar esse nível de domínio próprio, pois as bênçãos advindas disso são incontáveis.

Para domarmos nossa língua, como Tiago encorajou os cristãos na passagem de hoje, devemos nos fazer três perguntas antes de falar o que nos vem à mente. Primeiro, o que estou prestes a dizer é verdade? Segundo, dizer o que vou dizer implica bondade e edifica outros? E, finalmente, o que vou dizer glorificará o Senhor?

Para exemplificar como as palavras têm poder, Tiago compara nossa língua com o leme de um navio e o freio na boca de um cavalo, algo pequeno em tamanho, mas que tem poder de condução sobre todo aquele veículo ou animal. Ele também afirma que nossa língua é comparável a uma faísca que desencadeia todo um incêndio. As palavras podem ferir mais que uma pancada, e diante de nós está a escolha de usar nosso falar como uma arma ou como instrumento de cura.

Esteja sempre em espírito de oração e entregue ao Espírito Santo tudo o que sair de seus lábios, e ele o ajudará a conduzir sua vida. O que dizemos e como dizemos importa para Jesus. Que possamos escolher as palavras que nos direcionem para mais perto de Deus. Lembre-se hoje: as palavras que você compartilha com os outros têm a capacidade de moldar uma vida, portanto escolha-as com sabedoria.

Oração

Doce Espírito Santo, ajuda-me a ouvir com mais amor e compreensão e a usar minhas palavras com mais prudência, cuidado e sabedoria. Opera em mim o domínio próprio, para que eu não peque contra ti. Quero glorificar-te em tudo o que eu fizer, especialmente com minhas palavras, e ser um instrumento em tuas mãos para encorajar e consolar os que precisam disso. Em nome de Jesus. Amém.

Anotações

> Tão logo se dá conta de que somente Deus pode tornar alguém piedoso, não resta opção a não ser encontrar Deus, conhecer a Deus e deixar Deus ser Deus em você e por seu intermédio.
>
> W. Ian Thomas

DIA 6

Achegando-se a Deus

TIAGO 4.1-8

De onde vêm as discussões e brigas em seu meio? Acaso não procedem dos prazeres que guerreiam dentro de vocês? Querem o que não têm, e até matam para consegui-lo. Invejam o que outros possuem, lutam e fazem guerra para tomar deles. E, no entanto, não têm o que desejam porque não pedem. E, quando pedem, não recebem, pois seus motivos são errados; pedem apenas o que lhes dará prazer. Adúlteros! Não percebem que a amizade com o mundo os torna inimigos de Deus? Repito: se desejam ser amigos do mundo, tornam-se inimigos de Deus. O que vocês acham que as Escrituras querem dizer quando afirmam que o espírito colocado por Deus em nós tem ciúmes? Contudo, ele generosamente nos concede graça. Como dizem as Escrituras: "Deus se opõe aos orgulhosos, mas concede graça aos humildes". Portanto, submetam-se a Deus. Resistam ao diabo, e ele fugirá de vocês. Aproximem-se de Deus, e ele se aproximará de vocês.

Devocional

O escritor Oswald Sanders escreveu certa vez: "Estamos neste momento tão próximos de Deus quanto escolhemos estar". Pensando nisso, reflita por um momento na seguinte pergunta: Quão próximo você está de Deus? Qualquer que seja sua resposta, a resposta de Deus é "aproxime-se". A passagem de hoje nos oferece uma promessa extraordinária: "Aproximem-se de Deus, e ele se aproximará de vocês".

Muitas pessoas que acreditam em Deus vivem como se ele se encontrasse longe, distante. Mas não é assim. Ele nos prometeu que nunca nos deixaria nem nos abandonaria. Por isso, não devemos manter distância de Deus, com medo de sermos tidos como indignos por causa de nossos pecados e falhas. Ele nos chama à sua presença, e pela fé em Jesus temos acesso à sala de seu trono. Deus não está longe de nós como uma estrela distante. Está tão perto quanto nosso próprio batimento cardíaco em nosso peito.

Tal intimidade requer intencionalidade, mas não pode ser apressada. Ficaremos mais próximos de Deus à medida que escolhermos estar atentos e investir em nosso relacionamento com ele. Esse convite para nos aproximarmos não é apenas para quando nos sentimos empolgados na caminhada cristã. Momentos épicos de adoração espontânea e fortes emoções na presença de Deus não são um pré--requisito para nos achegarmos a ele. Jesus nos chama mesmo quando nos sentimos confusos, inadequados e esgotados. O Senhor nos recebe como estamos, e então opera em nós a transformação de que precisamos.

Se você não sabe bem como se aproximar de Deus hoje, comece com uma oração simples pedindo que ele receba você em sua presença. Talvez você queira falar sobre a decepção que sente quando a voz dele parece distante. Ao fazer isso, você estará buscando a intimidade com Deus, em vez de criar um abismo entre você e ele. Compartilhar a dor que está em seu coração pode abrir um caminho poderoso para o agir do Senhor. Com palavras simples, mas com sinceridade de coração, diga sim ao convite de Deus. Poder flui de sua presença, onde há satisfação duradoura e a paz verdadeira que só podem ser encontradas nele.

Oração

Amado Senhor Deus, eu te amo e te agradeço pelo acesso que tenho a ti em qualquer momento, por meio de Jesus. Teu amor incondicional me envolve e me atrai, e não posso deixar de atender a teu chamado e amar-te de todo o coração. Que o Espírito Santo em mim opere o desejo de estar diariamente a teus pés e permita que eu assim o faça. Que minha vida seja dedicada a ti. Em nome de Jesus. Amém.

Anotações

_____
_____
_____
_____
_____

Juntar as mãos em oração é o início de uma revolução contra a desordem do mundo.
Karl Barth

DIA 7
A oração da fé

TIAGO 5.13-20

Algum de vocês está passando por dificuldades? Então ore. Alguém está feliz? Cante louvores. Alguém está doente? Chame os presbíteros da igreja para que venham e orem sobre ele e o unjam com óleo, em nome do Senhor. Essa oração de fé curará o enfermo, e o Senhor o restabelecerá. E, se cometeu algum pecado, será perdoado. Portanto, confessem seus pecados uns aos outros e orem uns pelos outros para serem curados. A oração de um justo tem grande poder e produz grandes resultados. Elias era humano como nós e, no entanto, quando orou insistentemente para que não caísse chuva, não choveu durante três anos e meio. Então ele orou outra vez e o céu enviou chuva, e a terra começou a produzir suas colheitas. Meus irmãos, se algum de vocês se desviar da verdade e for trazido de volta, saibam que quem trouxer o pecador de volta de seu desvio o salvará da morte e trará perdão para muitos pecados.

Devocional

Você já deve ter ouvido dizer que "orações ousadas honram a Deus, e Deus honra orações ousadas". Entretanto, se formos completamente honestos, às vezes nos sentimos aterrorizados em orar com ousadia. Não é necessariamente que tenhamos medo de que Deus não faça nada, nem que não acreditemos que ele seja capaz. Nossa apreensão está mais enraizada em nosso próprio sentimento de inadequação e inferioridade. Tememos não estar ouvindo Deus ou discernindo corretamente sua vontade. E se estivermos ousadamente orando para que Deus se mova em uma área ou de uma forma contrária aos planos dele? Não queremos ir contra os propósitos divinos.

No entanto, devemos nos lembrar que nossas orações são poderosas em Deus. As orações não mudam o Senhor, mas elas nos transformam enquanto oramos. A oração abre nossos sentidos para realidades que nunca poderíamos experimentar fora de Deus, dando-nos revelação e discernimento espiritual. A passagem de hoje nos diz que as orações de uma pessoa justa são eficazes. Ter isso em mente nos encoraja a perseverar em oração.

As orações que você faz por sua família, amigos, colegas de trabalho e até por si mesmo fazem a diferença. Elas estão mudando algo aos olhos de Deus. Você não sabe quando nem como elas serão respondidas, mas pode depositar fé em sua oração. Pois a oração poderosa não diz respeito a usar as palavras certas, mas a ser justo e caminhar fielmente com o Senhor, unindo nossa fé a nossas palavras.

Absorver essa verdade no coração desperta uma disposição renovada em nossa vida de oração, e uma nova expectativa de que Deus agirá em sua plena sabedoria ao ouvir a oração daqueles que ele justificou. Portanto, façamos orações ousadas e cheias de fé, não por desejar forçar o Senhor a agir em nosso favor, mas por saber que Deus espera isso de nós e alinha o nosso coração com o dele através da prática da oração. Nossa firme convicção é que essa vida de oração fervorosa nos aproxima de nosso Deus e fortalece nossa fé.

Oração

Amado Deus e Pai, quero fazer orações ousadas, quero conhecer tua mente e orar de acordo com o que minha fé sabe sobre ti. Sei que és poderoso e capaz de fazer muito mais do que eu conseguiria pedir ou pensar. De tuas mãos fluem bênçãos abundantes. Ajuda-me a confiar mais em tua Palavra e a caminhar mais perto de ti. Revela-me tua mente, Senhor. Que teu braço forte e tua mão poderosa me cerquem e operem em meu favor. Em nome de Jesus. Amém.

Anotações

SEJA ENCORAJADO: EXERCITE SUA FÉ

Os cristãos da igreja primitiva enfrentaram duras perseguições. Os tempos eram difíceis. Seguir a Deus era desafiador, e eles muitas vezes pensaram em desistir.

Você já se sentiu assim? Em caso afirmativo, estas palavras visam encorajá-lo.

A reflexão de hoje é extraída de uma passagem sobre perverança em meio à adversidade. Em Hebreus 10.22, lemos a exortação: "entremos [no lugar santíssimo] com coração sincero e plena confiança".

A confiança e a fé em Jesus são fundamentais, especialmente para navegar em tempos difíceis. Trata-se de um dom que recebemos do Espírito Santo, que deve ser fortalecido e usado com propósito. Quando tudo à nossa volta parece incerto e esmagador, a fé resiliente — que se baseia no que Deus já disse em sua Palavra — nos fornece uma âncora na tempestade. Não podemos deixá-la à deriva.

Nos últimos dias temos refletido que podemos ter plena confiança em nossa salvação em Jesus. Não podemos ter dúvidas quanto à nossa aceitação quando nos aproximamos de Deus, independentemente do que esteja acontecendo em nossa vida neste momento e dos erros que tenhamos cometido no passado. Essa rocha de verdade nos ajuda a abordar até mesmo as coisas mais difíceis com uma perspectiva segura. Sabemos que Cristo é suficiente para nós, e assim podemos suportar os desafios mais esmagadores.

Nossa fé em Jesus nos assegura de que as coisas vão ficar bem no final. Se não está tudo bem agora, ainda não é o fim. Hoje, considere o que você pode fazer para reavivar sua fé. Lembre-se de quem Jesus é. Leia as promessas de Deus nas Escrituras, procure um amigo e orem juntos com esperança. Não deixe que seus momentos difíceis roubem sua fé. Jesus quer se manifestar em sua vida!

CONTEÚDO EXTRA

 Ouça a meditação "Confiança em Deus"

TEMA 4

Vivendo valores cristãos

SEMANA **1**

Discipulado diário

> Separa-te de um mundo que nunca poderá de fato satisfazer-te.
> Busca aquele tesouro que é o único verdadeiramente incorruptível.
>
> J. C. Ryle

DIA 1
Cada vez mais perto de Deus

LUCAS 9.21-27

Jesus advertiu severamente seus discípulos de que não dissessem a ninguém quem ele era. "É necessário que o Filho do Homem sofra muitas coisas", disse. "Ele será rejeitado pelos líderes do povo, pelos principais sacerdotes e pelos mestres da lei. Será morto, mas no terceiro dia ressuscitará." Disse ele à multidão: "Se alguém quer ser meu seguidor, negue a si mesmo, tome diariamente sua cruz e siga-me. Se tentar se apegar à sua vida, a perderá. Mas, se abrir mão de sua vida por minha causa, a salvará. Que vantagem há em ganhar o mundo inteiro, mas perder ou destruir a própria vida? Se alguém se envergonhar de mim e de minha mensagem, o Filho do Homem se envergonhará dele quando vier em sua glória e na glória do Pai e dos santos anjos. Eu lhes digo a verdade: alguns que aqui estão não morrerão antes de ver o reino de Deus!".

Devocional

Você já se pegou ansiando por uma conexão mais profunda com Deus, mas sem saber por onde começar? Não há necessidade de se sentir apreensivo diante da ideia de ouvir uma longa lista de dicas que precisa utilizar todos os dias a fim de se aproximar de Deus. Na verdade, tudo o que precisamos é pedir ao Espírito Santo que nos renove e nos transforme de dentro para fora à medida que nos aprofundamos em sua Palavra, comprometendo-nos a segui-lo, custe o que custar e como quer que nos sintamos. Essa é a chave para crescer em Deus.

Em Lucas 9.23, Jesus diz a seus discípulos: "Se alguém quer ser meu seguidor, negue a si mesmo, tome diariamente sua cruz e siga-me". As palavras de Jesus talvez soem surpreendentes. Afinal de contas, àquela altura os discípulos já haviam aberto mão de tudo que possuíam para seguir Jesus. Já haviam largado negócios prósperos, *status* social, o conforto de uma profissão segura. E, no entanto, aqui vemos Jesus dizendo a seus amigos que há um alto preço para um grande chamado. Que o custo será ainda maior do que imaginavam. Jesus não está pedindo a seus discípulos que entreguem algumas poucas coisas. Está pedindo que entreguem tudo o que são, isto é, a própria vida.

Embora pareça um pedido extremo, os discípulos teriam assim acesso a um nível de intimidade com Jesus diferente do de qualquer outra pessoa, graças a essa disposição de continuar seguindo o Mestre por onde quer que ele fosse. Intimidade que os levou a cearem com Jesus antes da crucifixação. Intimidade que levou o Mestre a se abaixar para lavar os pés dos discípulos. Intimidade que os levou a dividirem uma refeição com Cristo após a ressurreição. Além da promessa da eternidade com Jesus no céu, eles tiveram o privilégio de experimentar uma intimidade inigualável com ele aqui neste mundo.

O convite de Jesus aos discípulos se estende também a nós hoje. Jesus nos convida a nos aproximarmos dele, o que significa que também somos chamados a negar a nós mesmos, tomar nossa cruz e segui-lo. Tomar nossa cruz significa abandonar velhos hábitos, criando espaço para que Deus opere e pensando nos outros antes de em nós mesmos. Para seguir a Jesus de todo o coração, temos de nos distanciar de tudo que nos distrai. Devemos orar a Deus e perguntar-lhe de que distrações precisamos nos distanciar a fim de nos aproximarmos dele. Assim, estaremos negando a nós mesmos e alcançando um nível mais profundo de intimidade com ele que sempre, sempre valerá a pena.

Oração

Amado Deus e Pai celestial, confesso que nem sempre estou disposto a tomar minha cruz e seguir o Senhor Jesus. Mas sei que essa é a escolha certa, por isso oro para que me fortaleças. Hoje, dá-me uma nova determinação e um desejo reavivado de seguir teus passos, aonde quer que eles me levem. Que minha vida honre a ti. Em nome de Jesus. Amém.

Anotações

Meu filho, se Deus o chamou para o ministério, não se rebaixe ao ponto de ser rei em qualquer país.
Charles H. Spurgeon

DIA 2

Entregando tudo a Deus

MARCOS 6.34-44

Quando Jesus saiu do barco, viu a grande multidão e teve compaixão dela, pois eram como ovelhas sem pastor. Então começou a lhes ensinar muitas coisas. Ao entardecer, os discípulos foram até ele e disseram: "Este lugar é isolado, e já está tarde. Mande as multidões embora, para que possam ir aos campos e povoados vizinhos e comprar algo para comer". Jesus, porém, disse: "Providenciem vocês mesmos alimento para eles". "Precisaríamos de muito dinheiro para comprar comida para todo esse povo!", responderam. "Quantos pães vocês têm?", perguntou ele. "Vão verificar." Eles voltaram e informaram: "Cinco pães e dois peixes". Então Jesus ordenou que fizessem a multidão sentar-se em grupos na grama verde. Assim, eles se sentaram em grupos de cinquenta e de cem. Jesus tomou os cinco pães e os dois peixes, olhou para o céu e os abençoou. Então, à medida que ia partindo os pães, entregava-os aos discípulos para que os distribuíssem ao povo. Também dividiu os peixes para que todos recebessem uma porção. Todos comeram à vontade, e os discípulos recolheram doze cestos com os pães e peixes que sobraram. Os que comeram foram cinco mil homens.

Devocional

De vez em quando, pensamos: "Se alguém mais me pedir para fazer alguma coisa, vou enlouquecer...". "Alguém" pode ser qualquer um tentando adicionar mais trabalho a uma pilha já enorme, mais expectativas a um fardo já pesado. Essas solicitações fazem que nos sintamos sobrecarregados e intimidados. A impressão é que simplesmente não nos resta mais forças para oferecer.

Descanso e equilíbrio são coisas que Deus deseja para todos nós. Ainda assim, por vezes Deus também ordena que interrompamos esses momentos de pausa a fim de trabalhar em sua obra. O milagre da multiplicação dos pães que alimentou mais de cinco mil pessoas foi um desses casos. Os discípulos estavam cansados depois de um dia intenso de ministrações. Então, quando haviam finalmente encontrado um local conveniente para descansar, o conforto cessou. A multidão os encontrou, e Jesus teve compaixão daquelas pessoas e começou a ensiná-las.

Quando Jesus terminou de pregar, a multidão sentia fome. Já era tarde, e Jesus inesperadamente pediu aos discípulos que fizessem o impossível: que alimentassem todo aquele povo. Os discípulos devem ter pensado: "Por que Jesus nos pediria isso? Acabamos de realizar todas essas coisas para ele, e agora ele quer que façamos isso também?". Talvez Jesus não esteja nos pedindo neste momento que alimentemos uma multidão, mas de fato também há momentos em que ouvimos algo como "providenciem alimento para eles".

Essas oportunidades de bênçãos aparecem muitas vezes disfarçadas de interrupções indesejadas em nossos planos: um atendente lento que parece entristecido no supermercado, um amigo que carece de ajuda em um momento inoportuno, um colega de trabalho querendo conversar quando estamos soterrados em uma pilha de afazeres. Quando sentimos que não temos mais nada para oferecer, Deus age. Essa é a beleza da jornada cristã. Quando estamos fracos, ele é forte. Quando Deus nos pede algo, temos apenas de dizer "sim". O resto é com ele, e é então que o inacreditável pode acontecer. Pessoas são alimentadas. Nossa fé é fortalecida. Somos envolvidos. E todos ficam satisfeitos. A multidão vai embora recarregada. Assim como aconteceu com os discípulos, acontece comigo e com você.

Oração

Amado Senhor Jesus, louvado seja teu nome. Engrandecido sejas tu, que te entregaste por completo em nosso favor a fim de nos abençoar. Desejo ser mais receptivo à tua voz mansa e delicada. Desejo buscar teu rosto e conhecer teu coração mais profundamente. Ajuda-me a caminhar na luz, seguindo teus passos, meu Senhor e Salvador. Em teu nome. Amém.

Anotações

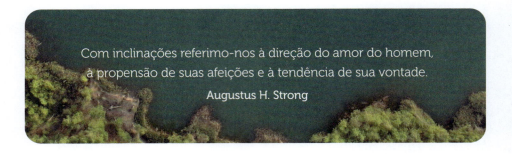

> Com inclinações referimo-nos à direção do amor do homem, à propensão de suas afeições e à tendência de sua vontade.
> Augustus H. Strong

DIA 3

Descobrindo nossa identidade em Deus

JOÃO 10.7-10

[Jesus disse:] "Eu lhes digo a verdade: eu sou a porta das ovelhas. Todos que vieram antes de mim eram ladrões e assaltantes, mas as ovelhas não os ouviram. Sim, eu sou a porta. Quem entrar por mim será salvo. Entrará e sairá e encontrará pasto. O ladrão vem para roubar, matar e destruir. Eu vim para lhes dar vida, uma vida plena, que satisfaz".

Devocional

Você já assistiu a um filme de viagem no tempo em que o personagem principal volta ao passado para tentar consertar as coisas, mas quando retorna ao presente suas ações só fizeram piorar a situação? Muitas vezes em nossa vida nos sentimos dessa mesma forma, como se saltássemos de uma crise para a próxima. E, se olhamos para os acontecimentos globais, vemos isso em escala ainda maior. Nosso mundo é turbulento, virado de cabeça para baixo por calamidades, doenças, conflitos, maldade.

O mundo está clamando por um povo que seja cheio do Espírito Santo, um povo que obtenha sua força e poder de Deus a fim de viver de modo a superar as circunstâncias e não se acovardar sob elas. Todos nós fomos, de alguma forma, tocados pelas adversidades dos últimos anos. Como discípulos de Jesus, nosso coração é moldado para enfrentar e lutar mesmo diante das situações mais adversas. Não estamos sozinhos. Temos Deus ao nosso lado. E nunca podemos perder de vista essa verdade, porque ela guarda o segredo de nossa verdadeira identidade.

Para fazer tudo o que Deus tem para nós nesta vida, é importante saber quem somos. E a incerteza sobre nossa identidade é precisamente o motivo pelo qual as mentiras do inimigo nos enganam. Em João 10.10, Jesus revela a missão enganosa do inimigo, mas também o maravilhoso plano de Deus para nós quando cremos nele e caminhamos com ele: "O ladrão vem para roubar, matar e destruir. Eu vim para lhes dar vida, uma vida plena, que satisfaz".

Filhos de Deus: essa é nossa identidade. Fazemos parte da linhagem do Rei do universo. Nenhuma mentira do inimigo tem o poder de roubar isso de nós. E por causa dessa verdade, nosso propósito é claro. Nosso chamado é conhecê-lo, e nossa missão é torná-lo conhecido. Quaisquer que sejam as mentiras que o mundo lança sobre você, a verdade é que você é digno de salvação porque Jesus o salvou. Você é digno de amor porque Jesus o ama. Você é digno de realizar a obra de Deus neste mundo porque Jesus o capacita. Podemos ser parceiros de Deus e avançar para o futuro que ele tem para nós, independentemente dos obstáculos que surjam em nosso caminho.

Oração

Amado Deus e Pai celestial, como eu sou grato a ti! Obrigado por nunca me deixares esquecer quem eu sou. Minha identidade está segura em ti. Estou protegido e guardado em tuas mãos. Obrigado porque jamais me deixarás, e minha identidade em ti é inabalável e durará por toda a eternidade. No nome santo de Jesus eu oro. Amém.

Anotações

> Um homem que é íntimo de Deus não se deixa intimidar pelo homem.
> Leonard Ravenhill

DIA 4

Estabelecendo uma identidade inabalável

JOÃO 1.9-13

Aquele que é a verdadeira luz, que ilumina a todos, estava chegando ao mundo. Veio ao mundo que ele criou, mas o mundo não o reconheceu. Veio a seu próprio povo, e eles o rejeitaram. Mas, a todos que creram nele e o aceitaram, ele deu o direito de se tornarem filhos de Deus. Estes não nasceram segundo a ordem natural, nem como resultado da paixão ou da vontade humana, mas nasceram de Deus.

Devocional

Você passa da satisfação à decepção em um piscar de olhos? Tão logo pensa que tudo está indo bem, algo acontece. Você esquece o compromisso, marca duas coisas no mesmo horário, briga com os filhos ou decepciona alguém. É muito fácil construir nossa identidade com base no que fazemos, nos alicerces instáveis de nossa suposta capacidade de lidar com as situações da vida. No entanto, assim que o estresse atrapalha o equilíbrio, assim que cometemos um erro, damos um passo em falso ou temos um contratempo, inicia-se uma atividade frenética e nossa identidade se converte em uma montanha-russa. A cada momento nos percebemos como algo diferente. Esse é um passeio caótico de insegurança, instabilidade e inadequação.

Devemos lembrar que há uma grande diferença entre ser e fazer. Compreender isso proporciona dois estilos de vida opostos que às vezes conectamos para formar nossa identidade. Por que somos tão rápidos em conectar pontos que não existem, colocando um rótulo em nós mesmos e acreditando que é verdade? Deus, em contrapartida, tem outra identidade para nós, uma identidade que é imutável e independente de nossas ações. Essa identidade é a de filhos escolhidos e amados por ele. Em João 1.12, lemos: "Mas, a todos que creram nele e o aceitaram, ele deu o direito de se tornarem filhos de Deus".

Sermos aceitos por Deus, e receber dele essa identidade, não é algo definido por nossas ações. Por isso, nunca seremos um fracasso mesmo quando nosso desempenho não corresponde a nossas expectativas. Pelo contrário, quando atribuímos a fonte de nosso valor e mérito ao Senhor, a seu devido lugar, ficamos livres do medo do fracasso ou da opinião de outros. Ficamos livres dos rótulos que colocamos sobre nós mesmos e das areias movediças de nossa autoestima. O que realmente importa é o que nosso Pai celestial pensa a nosso respeito, e isso é imutável. Podemos descansar seguros sabendo que estamos escondidos no amor incondicional de Deus. E uma vez que compreendemos essa verdade, nossa identidade se torna inabalável.

Oração

Meu Deus e Pai querido, eu te louvo por tua grandeza e pelas maravilhas que operas em meu coração. Obrigado porque eu sou teu. Por meio de teu Espírito, ilumina meu coração, para que eu possa ver as áreas em mim que não estão entregues a ti. Desejo viver na plenitude de minha identidade celestial. Em nome de Jesus. Amém.

Anotações

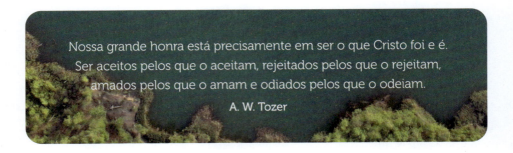

Nossa grande honra está precisamente em ser o que Cristo foi e é. Ser aceitos pelos que o aceitam, rejeitados pelos que o rejeitam, amados pelos que o amam e odiados pelos que o odeiam.

A. W. Tozer

DIA 5

Quando não sabemos quem somos

EFÉSIOS 1.3-10

Todo louvor seja a Deus, o Pai de nosso Senhor Jesus Cristo, que nos abençoou em Cristo com todas as bênçãos espirituais nos domínios celestiais. Mesmo antes de criar o mundo, Deus nos amou e nos escolheu em Cristo para sermos santos e sem culpa diante dele. Ele nos predestinou para si, para nos adotar como filhos por meio de Jesus Cristo, conforme o bom propósito de sua vontade. Deus assim o fez para o louvor de sua graça gloriosa, que ele derramou sobre nós em seu Filho amado. Ele é tão rico em graça que comprou nossa liberdade com o sangue de seu Filho e perdoou nossos pecados. Generosamente, derramou sua graça sobre nós e, com ela, toda sabedoria e todo entendimento. Agora Deus nos revelou sua vontade secreta a respeito de Cristo, isto é, o cumprimento de seu bom propósito. E o plano é este: no devido tempo, ele reunirá sob a autoridade de Cristo tudo que existe nos céus e na terra.

Devocional

De tempos em tempos deparamos com situações inesperadas na vida. Isso é normal. Corremos o tempo todo o risco de uma demissão repentina, uma traição inesperada, a perda de uma função ministerial, o diagnóstico de uma doença. Surpreendidos com uma dificuldade, nossa identidade é testada, e precisamos encarar a pergunta: Em que deposito minha identidade? O que me define? A que aspectos de minha vida eu atrelo minha essência?

Muitas vezes passamos por mudanças difíceis. Nessas horas, o desafio é continuar acreditando que, apesar dessas mudanças, ainda somos os mesmos, ainda somos amados, e tão somente nos encontramos em uma nova fase da vida. Ainda somos pessoas criadas à imagem de Deus, para as quais Deus tem um plano e um propósito, a despeito das circunstâncias momentâneas. Ainda temos valor, mesmo que os outros não consigam enxergá-lo. Os papéis e títulos que carregamos neste mundo podem mudar, mas nossa identidade em Cristo é segura e permanece a mesma eternamente.

Essa é a verdade que Paulo afirma à igreja em Éfeso. Na passagem de hoje, o apóstolo explica a nova identidade dada a quem está em Cristo. Ele diz que Deus já havia decidido que, mediante Jesus Cristo, ele nos faria seus filhos, e Paulo tinha prazer em anunciar e relembrar isso. Esse era seu propósito. Ele queria que os cristãos soubessem que sempre seriam escolhidos, adotados, aceitos e amados incondicionalmente por Deus, e que agradou ao Senhor chamá-los de seus.

Se nós, como cristãos, não abraçarmos totalmente nossa identidade como filhos de Deus, ficaremos sujeitos a permitir que circunstâncias, transições e o relacionamento com outras pessoas determinem nossa identidade e valor. O que fazemos, o que alcançamos ou não, o cargo ou função que exercemos, o que as pessoas supõem sobre nós, nada disso define quem somos. Só Deus nos define. Somente ele é a fonte de nossa identidade. Decidamos, portanto, que independentemente do que passarmos, independentemente do que afirmam a nosso respeito, somos filhos de Deus. Somos dele. E isso sempre será mais que suficiente.

Oração

Amado Senhor Jesus, muitas vezes me esqueço de todas bênçãos que tu conquistaste para mim na cruz. Não me aproprio delas, nem vivo à luz delas, porque estou muito focado no que é passageiro. Perdoa-me, Senhor, e ajuda-me a ver o eterno e a ter os teus olhos para ver o mundo com realidade e discernimento espiritual, e não com meu olhar distorcido e terreno. Em teu doce nome eu oro. Amém.

Anotações

> Toda ação de nossa vida toca alguma corda
> que vibrará na eternidade.
> E. H. Chapin

DIA 6

Cultivando pensamentos maduros

1CORÍNTIOS 13.11-12

Quando eu era criança, falava, pensava e raciocinava como criança. Mas, quando me tornei homem, deixei para trás as coisas de criança. Agora vemos de modo imperfeito, como um reflexo no espelho, mas então veremos tudo face a face. Tudo que sei agora é parcial e incompleto, mas conhecerei tudo plenamente, assim como Deus já me conhece plenamente.

Devocional

Com alguma frequência, percebemos que há uma lacuna entre onde estamos e onde queremos estar. Temos um grau de crescimento mental, emocional e espiritual para estabelecer. Pode levar muito tempo para reconhecermos nossos padrões de pensamento infantis, que por vezes persistem na idade adulta. Muitas vezes aceitamos ideias erradas sobre Deus, os outros e nós mesmos. Enquanto não lidarmos com nossos pensamentos imaturos, nosso crescimento espiritual ficará atrofiado.

A Bíblia nos dá um exemplo vívido de cristãos presos em pensamentos infantis. Quando o apóstolo Paulo começou a ministrar à igreja em Corinto, ele enfrentou esse desafio. Os coríntios só conseguiam lidar com verdades simples em vez de ensinamentos profundos. Devido a seu imaturo foco em si mesmos, Paulo constantemente tinha de revisar o básico com eles. Ele enfatizou a necessidade de que enxergassem corretamente a Deus, aos outros e a si próprios. Pouco antes de escrever seu famoso capítulo sobre o amor, 1Coríntios 13, o apóstolo apontou como aquela igreja vinha brigando por questões pequenas quando grandes questões estavam em jogo.

Então, na sequência da famosa passagem sobre as qualidades maduras do amor verdadeiro, Paulo enfatiza novamente a verdade básica que ele queria que os coríntios entendessem: "Quando eu era criança, falava, pensava e raciocinava como criança. Mas, quando me tornei homem, deixei para trás as coisas de criança". Talvez sejamos como os coríntios e nos contentemos com o pensamento infantil em vez de passar para o pensamento maduro. Devemos superar nossa visão restrita de Deus como um severo punidor. Ao estudar as Escrituras, aprendemos como ele é justo, amoroso, paciente e bondoso. À medida que nossa fé amadurece, nossa amizade com Deus também floresce.

O mais desafiador de tudo isso é amadurecermos na maneira como vemos a nós mesmos. Nosso crítico interior não pode mais ocupar o trono de nossa mente, pronunciando julgamentos a respeito de falhas reais ou imaginadas. Quando Jesus assumiu o trono de nossa vida, isso incluiu nossos pensamentos. Ele reina sobre nossa mente com verdade e paz. Para todos que lutam contra falar, pensar e raciocinar de forma imatura, há uma solução. O Espírito Santo nos ajuda a levar os pensamentos cativos a Cristo, e a examinar quais precisam mudar ou amadurecer. Então, à medida que aprendemos a nos submeter à autoridade amorosa de Deus em nossa vida, ele transforma nosso coração e nossa mente para que sejamos cada vez mais parecidos com Jesus Cristo.

Oração

Amado Deus e Pai, obrigado pela regeneração completa que podemos ter em ti, de corpo, alma e mente. Mostra-me as áreas nas quais preciso crescer e amadurecer. Ajuda-me a buscar dons espirituais diariamente e a crescer intencionalmente no discipulado, fazendo todo o possível para que eu me torne cada vez mais como teu Filho Jesus, com a ajuda do Espírito Santo. Amém.

Anotações

_____
_____
_____
_____
_____

> Sempre que você lavar o rosto de manhã, lembre-se de seu batismo e a quem você pertence. Então vá e viva de acordo.
>
> Martinho Lutero

DIA 7

Se você esqueceu quem você é

GÁLATAS 3.23-29

Antes que o caminho da fé se tornasse disponível, fomos colocados sob a custódia da lei e mantidos sob a sua guarda, até que essa fé fosse revelada. Em outras palavras, a lei foi nosso guardião até a vinda de Cristo; ela nos protegeu até que, por meio da fé, pudéssemos ser declarados justos. Agora que veio o caminho da fé, não precisamos mais da lei como guardião. Pois todos vocês são filhos de Deus por meio da fé em Cristo Jesus. Todos que foram unidos com Cristo no batismo se revestiram de Cristo. Não há mais judeu nem gentio, escravo nem livre, homem nem mulher, pois todos vocês são um em Cristo Jesus. E agora que pertencem a Cristo, são verdadeiros filhos de Abraão, herdeiros dele segundo a promessa de Deus.

Devocional

Você já sofreu de amnésia de identidade? Isso ocorre quando você acredita que alguma vergonha de seu passado define quem você é, ou quando presume que seus erros o diminuem, ou quando suspeita que suas fraquezas e falhas o desvalorizam. É fácil esquecer quem somos quando a decepção declara quem não somos. O trecho de hoje, em contrapartida, reafirma nossa identidade, e ela não muda com nossas circunstâncias, nem oscila com base em nossa confiança ou falta dela. Nossos sucessos ou fracassos não a determinam. Nossa identidade foi determinada quando cremos na obra de Jesus na cruz, e ela está fixada pela fé. Nosso nome está ancorado em Cristo, uma vez que todos somos filhos de Deus pela fé em Cristo Jesus.

Quando respondemos a Deus com fé, ele faz algo incrível: nossa localização muda de "no mundo" para "em Cristo". Somos batizados e imersos em Cristo, e nossa realidade torna-se intimamente ligada à dele. Somos revestidos de Cristo quando estamos imersos nele. A salvação não é apenas uma questão de jurar fidelidade a Deus. Trata-se de ser coberto pela identidade de Jesus. Não quer dizer que nos tornamos Jesus, mas que estamos envoltos nele, e ele é nosso tudo.

Uma consequência significativa de estar convicto desse fato é o impacto que isso exerce sobre nosso relacionamento com as outras pessoas. Não apenas nós fomos imersos em Cristo, mas muitos outros também. Juntos, somos todos um em Cristo Jesus. E as diferenças que antes nos dividiam não devem mais fazê-lo. Em Jesus já não há homem ou mulher; branco, preto ou pardo; brasileiro, russo ou holandês; não há partido político, ou qualquer outra coisa que nos categorize e nos divida. Somos todos um nele e assim devemos viver.

Não precisamos de um crachá preso ao peito para lembrar nossa identidade. Temos um Salvador que se entregou por amor e foi morto na cruz para declarar quem somos. E por causa do grande sacrifício de Cristo e do grande amor de Deus, recebemos a identidade mais significativa de todas: somos dele. Como o poeta escreveu em Cântico dos Cânticos: "Eu sou do meu amado, e o meu amado é meu". Pertencemos ao Deus de amor. Indiscutivelmente e para sempre seremos dele. Que nunca nos esqueçamos disso.

Oração

Amado Senhor Deus, como tu és bom. Obrigado por teres transformado minha natureza e identidade ao me salvar, e por teres me dado o poder de viver como nova criatura por meio da ressurreição e ascensão de Jesus Cristo ao céu. Ajuda-me a fixar os olhos em quem tu és, o que me permitirá viver verdadeiramente como a pessoa que tu afirmas que eu sou. Em nome de Jesus. Amém.

Anotações

ORAÇÃO CONTRA A ANSIEDADE E O ESTRESSE

Senhor,

Eu te agradeço por me convidares a entregar a ti minhas preocupações.

Eu te agradeço por não haver lugar para onde eu possa ir no qual tu não estarás comigo.

Eu te agradeço por estares no controle de minha vida, mesmo quando tudo à minha volta parece desabar.

Confesso que muitas vezes permito que o estresse tome conta de minha vida, em vez de depositar minha confiança em ti. Assim, o estresse acaba por controlar meu humor, minhas ações e minha atitude. E eu me arrependo de tudo isso neste momento, ó Deus.

Por favor, Pai, ajuda-me a entregar-te tudo em minha vida que esteja me estressando e desgastando. Ajuda-me a não deixar o estresse vencer. Que eu sempre me recorde de tua bondade para comigo.

Vivo esperançoso pela eternidade que passarei contigo, Senhor, onde não haverá mais estresse, dor ou choro.

Ajuda-me a ter em mente todas as maneiras pelas quais tu já me resgataste de situações difíceis no passado. E faz-me viver hoje com coragem, firme na verdade de tua bondade e de teu poder.

Permanece perto de mim e ajuda-me a experimentar tua presença. Cerca-me com tua proteção.

Espírito Santo, acalma meu coração e desacelera minha mente. Ajuda-me a respirar fundo, na certeza de que sou teu.

Eu sei que tua paz ultrapassa todo entendimento, por isso te peço que me concedas esta paz agora.

Em nome de Jesus. Amém.

CONTEÚDO EXTRA

Ouça a meditação "Sono dos céus"

SEMANA 1 **2** 3 4

O poder da oração

> A oração é o modo pelo qual a vida de Deus dentro de nós é nutrida.
> Oswald Chambers

DIA 1

A hora mais importante do dia

MARCOS 1.32-35

Ao entardecer, depois que o sol se pôs, trouxeram a Jesus muitos enfermos e possuídos por demônios. Toda a cidade se reuniu à porta da casa para observar. Então Jesus curou muitas pessoas que sofriam de diversas enfermidades e expulsou muitos demônios. Não permitia, porém, que os demônios falassem, pois sabiam quem ele era. No dia seguinte, antes do amanhecer, Jesus se levantou e foi a um lugar isolado para orar.

Devocional

Às vezes podemos nos perguntar se é realmente importante reservar um tempo de silêncio com o Senhor todos os dias. Certamente Jesus sabe quão ocupada é nossa vida, não é mesmo? Assim sendo, se eu fizer algumas orações rápidas e ouvir uma música de adoração enquanto me apresso para os compromissos do meu dia, já não seria suficiente? A resposta é um sonoro não!

É muito fácil deixar que as ocupações e o estresse cotidiano nos privem do tempo de oração e de comunhão com o Senhor. Nossas listas de afazeres parecem intermináveis, o tempo é curto e os momentos de silêncio para a oração cada vez mais escassos. Mas, se fizermos a escolha de estar com o Senhor logo pela manhã, nossa visão da vida naquele dia será muito mais leve e nossa capacidade de lidar com as coisas, muito mais eficaz. De fato, em Mateus 6.6, Jesus nos diz que, quando fechamos a porta e passamos tempo a sós com nosso Pai celestial, ele nos recompensa. Passar tempo com Jesus em oração não termina quando dizemos "amém" e passamos de nosso aplicativo de leitura da Bíblia para as redes sociais.

Ao orar, você está convidando o Rei dos reis para participar de seu dia. Então, depois de orar, você poderá começar a procurar ansiosamente pelo agir da poderosa mão divina em sua vida.

Mas como persistir em oração? Não com muitas palavras e balbucios, mas sim observando as circunstâncias que surgem em nosso caminho no dia a dia e pedindo ao Senhor que nos dê sabedoria contínua para processar a vida da maneira que seja mais honrosa a ele. Isso tornará nossa mentalidade mais saudável e nossa atitude mais otimista, e aumentará também nossa capacidade de estender graça àqueles que nos incomodam. Tudo isso se tão somente reservarmos tempo para estar com o Senhor.

Hoje, oremos por um relacionamento mais consistente e vivo com Jesus, e que nos lembremos de que tempo na presença do Senhor é algo simplesmente essencial. Faça disso sua prioridade mais importante do dia, por mais ocupada que ande sua vida. Nosso Deus é Senhor sobre o tempo, e quando o honramos com nossas primícias ele nos honra em nossas tarefas. E o Espírito Santo ajudará você a todo instante.

Oração

Senhor Jesus, ajuda-me a priorizar o tempo contigo como a parte mais importante de meu dia. Peço-te que me ajudes a viver de acordo com as prioridades e os valores do alto, sem me distrair com vozes e pressões terrenas. Obrigada, Deus, por seres um Pai perfeito, que desejas intimidade comigo. E que o Espírito Santo me guie diariamente. Em nome de Jesus. Amém.

Anotações

> Oração que não resulta em uma conduta pura não passa de ilusão. Desperdiçamos todo o ofício e a virtude de orar se a conduta não é corrigida. É da própria natureza das coisas que devemos ou parar de orar ou parar a má conduta.
>
> E. M. Bounds

DIA 2

Como orar

MATEUS 6.5-8

[Jesus disse:] "Quando vocês orarem, não sejam como os hipócritas, que gostam de orar em público nas sinagogas e nas esquinas, onde todos possam vê-los. Eu lhes digo a verdade: eles não receberão outra recompensa além dessa. Mas, quando orarem, cada um vá para seu quarto, feche a porta e ore a seu Pai, em segredo. Então seu Pai, que observa em segredo, os recompensará. Ao orar, não repitam frases vazias sem parar, como fazem os gentios. Eles acham que, se repetirem as palavras várias vezes, suas orações serão respondidas. Não sejam como eles, pois seu Pai sabe exatamente do que vocês precisam antes mesmo de pedirem".

Devocional

Por vezes acontece de chegarmos a um destino e não nos lembrarmos quase nada do caminho que nos levou até lá. Dirigir para locais cotidianos, como escritório, escola, igreja ou casa dos pais, torna-se automático, uma atividade que pode ser realizada simplesmente pelo instinto. Lamentavelmente, muitas pessoas que conhecem a Cristo costumam agir da mesma forma em suas orações. Acabam se engajando na oração sem pensar muito a respeito, soltando palavras sem qualquer reflexão real ou afeição genuína por Deus.

Ensinando sobre oração, Jesus aponta que não queria que seus seguidores fossem "como os hipócritas", cujo único intuito era chamar a atenção dos outros. Também não queria que os discípulos caíssem na armadilha de usar palavras sem sentido, a fim de não acumularem frases vazias como faziam os gentios, que imaginavam que seriam ouvidos por usarem muitas palavras. Além de afirmar que a oração é comunhão com Deus, Jesus também nos ensina o que a oração não é. Em primeiro lugar, a oração não é um ato de terapia. Psicólogos sugerem que algumas pessoas orem unicamente para trazer serenidade e aliviar a ansiedade e o medo. A oração certamente faz essas coisas, mas não deve ser essa nossa motivação para orar. Deus muitas vezes usa a oração para nos reorientar radicalmente, o que pode ser incômodo.

Em segundo lugar, a oração não é uma forma de persuasão. Não estamos tentando encontrar a fórmula certa para Deus responder a nossa oração como queremos. Tampouco estamos tentando convencer a Deus como se não fôssemos uma de suas criaturas. A oração diz respeito à vontade de Deus sendo feita, não a nossa. A vontade de Deus é realmente perfeita, então por que desejaríamos persuadi-lo a fazer algo menos que perfeito?

Finalmente, a oração não é uma barganha. Talvez você já tenha feito orações que soavam como uma reunião de negócios: "Trabalharei nesta questão se tu me abençoares". A oração não informa algo a Deus, nem o leva a fazer o que não é de sua vontade. A oração não muda Deus, ela muda a nós.

Sim, Deus ordena que oremos, e ele leva a sério nossos desejos em oração. No entanto, Deus é soberano em todos os momentos e sobre todas as coisas, e age com amor por seu povo. A oração não é nossa moeda de troca com um gênio da lâmpada. É nossa oportunidade de ter intimidade com o Criador e Redentor que nos ama.

Oração

Amado Senhor Deus, obrigado por tua fidelidade e amor infinitos. Tu planejas o melhor para mim, e eu quero confiar em tua direção. Peço-te que respondas a minhas orações de acordo com tua vontade e em teu tempo. Ajuda-me a compreender-te mais claramente e a amar-te mais profundamente, enquanto busco tua vontade para minha vida e a vida daqueles que amo. Em nome de Jesus. Amém.

Anotações

> Ó Senhor, teu desejo não é transformar o deserto,
> mas, sim, guardar nossos passos para que não nos desviemos
> do caminho que teus próprios pés antes trilharam.
>
> F. E. Bevan

DIA 3

A oração que Deus ouve

SALMOS 65.1-7

Que grande louvor, ó Deus, te aguarda em Sião! Cumpriremos os votos que te fizemos, pois respondes às nossas orações; todos virão a ti. Embora sejam muitos os nossos pecados, tu perdoas nossa rebeldia. Como é feliz aquele que tu escolhes para se aproximar de ti, aquele que vive em teus pátios. Quantas coisas boas nos saciarão em tua casa, em teu santo templo. Tu respondes às nossas orações com notáveis feitos de justiça, ó Deus de nossa salvação. És a esperança de todos na terra, e até dos que navegam por mares distantes. Formaste os montes com teu poder e de grande força te armaste. Acalmaste a fúria dos mares e as ondas impetuosas, e calaste o tumulto das nações.

Devocional

Você já se preparou para orar e pensou: "Eu mal consigo orar por cinco minutos, que dirá gastar uma hora em oração"? Gostaríamos de fechar os olhos por uma hora e concentrar a atenção em Deus, e não em nossa lista de tarefas, envolvendo-nos em uma conversa sincera e focada com o Senhor. Mas esse cenário parece impossível. Dizemos a nós mesmos: "Orar é falar com Deus". Se é simples assim, então por que mesmo quem é naturalmente mais falante enfrenta dificuldades nesse sentido?

Talvez isso se deva ao fato de que nossas orações estão longe de ser um fluxo espontâneo de frases eloquentes permeadas de versículos bíblicos. Ou quem sabe imaginemos que elas não são boas o suficiente para chegar até Deus e tomar seu tempo. É verdade que devemos encarar a oração como uma habilidade a ser desenvolvida, o que exige tempo, esforço e prática. Em essência, porém, a postura de nosso coração em relação ao Senhor é mais importante que as palavras proferidas.

Algumas posturas importantes na oração são: reconhecer o esplendor e a glória de Deus e inclinar-se diante dele em humilde adoração, pois somente ele é digno de adoração e louvor. Agradecer a Deus por sua generosa provisão, incluindo a graça por meio da qual ele nos salvou e que nos sustenta dia após dia. Confessar e arrepender-nos dos pecados que cometemos contra o Deus santo e justo, sabendo que ele perdoa totalmente e não se lembra mais de nossos erros, ensinando-nos também a perdoar os outros. Invocar o poder de Deus para lutar contra Satanás e resistir à tentação, permanecendo firmes diante do ataque espiritual. E pedir a Deus que nos ajude a ser cristãos exemplares em tudo que dizemos e fazemos, estendendo graça, misericórdia e amor aos outros em toda e qualquer circunstância.

Cumprindo cada um desses pontos, entraremos em verdadeira comunhão com Deus ao orar. A oração é pessoal, e também é um privilégio. Lembre-se que o Senhor se preocupa muito mais com a atitude de nosso coração do que com as palavras que saem de nossos lábios. Por mais que a vida seja complicada, nossa vida de oração não precisa ser.

Oração

Senhor Jesus, peço-te que te reveles novamente e me guies neste momento de oração. Obrigado por me ensinares a orar ao Pai celestial e por me encorajares a fazê-lo com confiança. Tu me deste vida nova, e eu quero experimentar plenamente tudo o que tens preparado para mim, toda cura, toda libertação, toda alegria e toda paz. Em teu doce nome. Amém.

Anotações

> A obra do Espírito é transmitir vida, plantar esperança, dar liberdade, testificar de Cristo, guiar-nos em toda a verdade, ensinar-nos todas as coisas e confortar o cristão.
> D. L. Moody

DIA 4

Cura para o coração pesado

MATEUS 6.9-15

[Jesus disse:] "Portanto, orem da seguinte forma: Pai nosso que estás no céu, santificado seja o teu nome. Venha o teu reino. Seja feita a tua vontade, assim na terra como no céu. Dá-nos hoje o pão para este dia, e perdoa nossas dívidas, assim como perdoamos os nossos devedores. E não nos deixes cair em tentação, mas livra-nos do mal. Pois teu é o reino, o poder e a glória para sempre. Amém. Seu Pai celestial os perdoará se perdoarem aqueles que pecam contra vocês. Mas, se vocês se recusarem a perdoar os outros, seu Pai não perdoará seus pecados".

Devocional

Você sabia que Jesus nos deu o caminho da oração perfeita para que a façamos todos os dias e blindemos nosso coração de quaisquer ofensas que possam surgir ao longo do caminho? No Sermão do Monte, Jesus ensina os discípulos a orar, no texto que é comumente conhecido como o Pai Nosso. Há muito que o Senhor poderia nos dizer para que incluíssemos em nossas orações diárias. Possivelmente, se nos coubesse a tarefa de instruir os outros a orar, ensinaríamos coisas desnecessárias e deixaríamos de fora algumas questões de fato importantes. E as partes que possivelmente tentaríamos minimizar ou excluir são aquelas que Jesus parece mais destacar nos versículos 14 e 15 da passagem de hoje: confissão e perdão.

De fato, na oração do Pai Nosso, é notável a ênfase sobre dar e receber perdão. Essa é uma revelação do que é importante para Deus, e deve nos motivar a basear nela nossas orações diárias, e não apenas em pedir ajuda e provisão para nossa vida. A oração ensinada pelo Senhor nos lembra do que o coração humano carece todos os dias: precisamos de Deus, precisamos ser perdoados e precisamos perdoar. O que significa que o perdão deve ser tão parte de nossa vida cotidiana quanto comer e dormir.

Vivemos em uma cultura e época em que ficar ofendido parece praticamente andar de mãos dadas com estar vivo. Quase todas as pessoas estão profundamente ofendidas por alguma coisa, e quase todo mundo tem problemas de relacionamento. Ainda assim, é de se perguntar se estamos mesmo orando diariamente com seriedade e confessando nossos pecados, em busca de perdão como Jesus nos ensinou. A confissão quebra o ciclo de caos dentro de nós, e o perdão quebra o ciclo de caos entre nós e os outros.

A oração do Pai Nosso prepara e protege nosso coração, a fim de que não nos tornemos reféns da amargura, do ressentimento e da falta de perdão. O melhor momento para perdoar é antes de sermos ofendidos, mas a segunda melhor hora para perdoar é agora. Estar em um relacionamento renovado com o Senhor implica reconhecer que, sem ele, não passamos de pó. Assim, precisamos estar em constante arrependimento e reconhecimento de que só ele é santo. Graças a Deus, nele somos verdadeiramente santificados.

Oração

Amado Deus e Pai celestial, eu te agradeço porque curas meu coração pesado e dá refrigério a minha alma cansada. Tu me fazes completo. Ajuda-me a entrar na plenitude de vida dos que são tocados por ti, e a viver livre da escravidão do pecado. Em nome de Jesus. Amém.

Anotações

> Um cristão desanimado é alguém que olhou longamente para os problemas e não olhou suficiente para Deus.
> Josemar Bessa

DIA 5

Orar e nunca desanimar

LUCAS 18.1-8

Jesus contou a seus discípulos uma parábola para mostrar-lhes que deviam orar sempre e nunca desanimar. Disse ele: "Havia numa cidade um juiz que não temia a Deus nem se importava com as pessoas. Uma viúva daquela cidade vinha a ele com frequência e dizia: 'Faça-me justiça contra meu adversário'. Por algum tempo, o juiz não lhe deu atenção, mas, por fim, disse a si mesmo: 'Não temo a Deus e não me importo com as pessoas, mas essa viúva está me irritando. Vou lhe fazer justiça, pois assim deixará de me importunar'". Então o Senhor disse: "Aprendam uma lição com o juiz injusto. Acaso Deus não fará justiça a seus escolhidos que clamam a ele dia e noite? Continuará a adiar sua resposta? Eu afirmo que ele lhes fará justiça, e rápido! Mas, quando o Filho do Homem voltar, quantas pessoas com fé ele encontrará na terra?".

Devocional

R. A. Torrey disse certa vez: "A razão pela qual muitos falham na batalha é que eles esperam até a hora da batalha. A razão pela qual outros têm sucesso é que eles conquistaram sua vitória de joelhos muito antes de a batalha chegar. Coloque-se de joelhos antes que venha a tentação, e você sempre terá a vitória". Nos versículos de hoje, Jesus conta a seus discípulos uma parábola que visa ensinar-lhes a importância da perseverança em oração, a fim de que se preparem para a vitória e se protejam da derrota. Na igreja, em nossa vida e na obra do Senhor, tudo prospera na oração!

Nessa parábola, a mulher faz uma exigência. Não sabemos a natureza de seu fardo, mas essa mulher tinha uma queixa contra alguém que pesava muito em seu coração. Ela também estava em desvantagem. Na busca por reparação perante um tribunal, várias coisas trabalhavam contra ela. Primeiro, ela era uma mulher, e as mulheres não tinham permissão para falar na corte. Segundo, era viúva e não tinha marido para falar em seu favor. Terceiro, por não dispor de dinheiro, não poderia apelar financeiramente por sua causa.

No entanto, isso tudo não a impediu, e sua determinação é evidenciada. Sua posição social e financeira significava que não lhe restava esperança a não ser obter ajuda daquele juiz, a quem ela se dirigiu continuamente até obter o que buscava. A passagem transmite a ideia de que ela pedia ajuda a esse juiz todos os dias. Quando ele aparecia no tribunal, lá estava ela insistindo por sua causa. Podemos interpretar que ela insistiu com o juiz a ponto de ele se dar conta de que só recuperaria sua paz se julgasse o caso da viúva.

A persistência e perseverança da mulher são um exemplo para nós. Você já desistiu de orar por algo? Já parou de pedir a Deus por libertação, por uma mudança ou por alguma resposta? Independentemente das circunstâncias, precisamos ser comprometidos, consistentes e consolados pela oração. E o consolo na oração é este: o povo de Deus nem sempre faz o que deve fazer, mas pode contar com o Senhor para cumprir todas as promessas que ele já fez. Ele é fiel para honrar sua Palavra. Ainda que você sinta vontade de desistir, continue orando, e nosso Pai celestial responderá em tempo oportuno.

Oração

Amado Senhor Deus, confesso que há coisas em minha vida pelas quais parei de orar. Desisti porque não vi respostas a minhas orações. Perdoa-me, Senhor. Dá-me forças para orar, terminar minha corrida e manter a fé, e que o Espírito Santo me acompanhe em todas as situações e guie meu caminho. Em nome de Jesus. Amém.

Anotações

> Nunca nos desesperaremos,
> enquanto tivermos Cristo como nosso guia.
> George Whitefield

DIA 6

Ore em meio à dificuldade

EFÉSIOS 3.14-19

Quando penso em tudo isso, caio de joelhos e oro ao Pai, o Criador de todas as coisas nos céus e na terra. Peço que, da riqueza de sua glória, ele os fortaleça com poder interior por meio de seu Espírito. Então Cristo habitará em seu coração à medida que vocês confiarem nele. Suas raízes se aprofundarão em amor e os manterão fortes. Também peço que, como convém a todo o povo santo, vocês possam compreender a largura, o comprimento, a altura e a profundidade do amor de Cristo. Que vocês experimentem esse amor, ainda que seja grande demais para ser inteiramente compreendido. Então vocês serão preenchidos com toda a plenitude de vida e poder que vêm de Deus.

Devocional

A oração pode ser um dos maiores desafios da vida cristã. Mesmo tendo consciência de sua importância, e do fato de que o Senhor tanto nos encoraja quanto nos ordena a orar, essa prática continua sendo uma dificuldade para muitos cristãos. O desenvolvimento de um novo hábito sempre demanda esforço e disciplina. Vejamos quais são alguns empecilhos práticos que enfrentamos.

Em primeiro lugar, sofremos com a concentração. Por que será que, tão logo inclinamos a cabeça para orar, nossos pensamentos começam a se dispersar? Em vez de nos comunicarmos verdadeiramente com Deus, pensamos no que precisamos preparar para o jantar, no que vamos vestir para um evento especial, ou quando poderemos agendar um café com um amigo. Ou estamos tão cansados que simplesmente cochilamos na quietude do momento. Tente orar em voz alta, ou buscar elementos visuais que norteiem sua oração. Tente também manter o corpo em posição alerta, sentado ou de joelhos, por exemplo.

A segunda área na qual lutamos é a consistência, a tentativa de reservar tempo diariamente para se encontrar com o Senhor em oração. Quantas vezes somos distraídos pelo telefone tocando, ou somos interrompidos por alguém, ou estamos tão ocupados que pulamos da cama já atrasados para a primeira tarefa do dia? Escolha o momento do dia que você sabe que é o melhor para seu tempo de oração, deixe o celular em outro cômodo e esforce-se para cumprir esse compromisso.

Finalmente, temos dificuldade para saber o que e como dizer. Deixe que as palavras fluam naturalmente. À medida que buscamos vitória nessas três áreas, Deus pode nos dar soluções. A oração que Paulo fez em sua carta à igreja em Éfeso nos exemplifica que o propósito da oração não é apenas obter respostas. O propósito é desenvolver um relacionamento íntimo e pessoal com aquele que nos ama, que se entregou por nós e que deseja que vivamos à luz de sua presença. Alcançar o propósito torna a luta mais do que válida. Ao nos aproximarmos de Deus hoje, ele fortalecerá nosso espírito e nos dará poder através do Espírito Santo. Assim seremos enraizados e estabelecidos em amor, experimentando a plenitude de Cristo em nós, através de nós e conosco. Que privilégio e que promessa!

Oração

Pai querido, obrigado pelo sincero compromisso que tens comigo. Eu preciso de ti. Preciso que operes em minha vida e na vida daqueles que amo. Dá-me o dom da fé para que eu ore com mais fervor e sinceridade de coração, ansiando com expectativa pelas maravilhas que tu farás em minha vida. Eu te amo, confio em ti e te busco, e peço-te que venhas com poder. Em nome de Jesus. Amém.

Anotações

> O caminho para obter um espírito de oração é continuar orando. Quanto menos orarmos, menos desejo teremos de orar.
> George Müller

DIA 7

Ore a respeito de tudo

FILIPENSES 4.4-7

Alegrem-se sempre no Senhor. Repito: alegrem-se! Que todos vejam que vocês são amáveis em tudo que fazem. Lembrem-se de que o Senhor virá em breve. Não vivam preocupados com coisa alguma; em vez disso, orem a Deus pedindo aquilo de que precisam e agradecendo-lhe por tudo que ele já fez. Então vocês experimentarão a paz de Deus, que excede todo entendimento e que guardará seu coração e sua mente em Cristo Jesus.

Devocional

Muitas vezes, diante de alguma questão ou dificuldade em nossa vida, a oração acaba sendo nosso último recurso na busca da solução, quando deveria ser nosso ponto de partida. Paulo nos instrui a orar por tudo, não andar ansiosos por nada e entoar ações de graças ao apresentar nossos pedidos a Deus. Não há coisa alguma grande ou pequena demais para levarmos a Deus. Portanto, a prática de orar torna-se uma conexão vitalícia entre nós e nosso Pai celestial. Nossa simples fé na bondade de Deus e no poder de sua Palavra é um legado que devemos passar para as gerações futuras.

Quaisquer que sejam as preocupações que você está enfrentando neste momento — a preocupação com os filhos, com as finanças, a saúde, o trabalho, o casamento — lembre-se hoje de que Deus se preocupa com cada detalhe de sua vida. Ele desenhou nossa existência. Ele entende nossos sentimentos e o que ocupa nossa mente. Cada situação, cada sentimento, cada vontade que temos, nada é grande ou pequeno demais para o Senhor. Ao compartilhar com ele aquilo de que você precisa, agradeça-lhe por esse amor tão lindo e receba a paz.

E se hoje levássemos a sério a instrução de Paulo e a puséssemos em prática? E se hoje decidíssemos não nos preocupar, mas descansar em Deus e fazer uma coisa de cada vez? E se, ao perceber a preocupação chegando, parássemos e entregássemos a situação a Deus em oração? E se agradecêssemos a ele por cuidar do problema? De fato, que tal passarmos a maior parte de nosso tempo hoje pensando no bom cuidado que nosso maravilhoso Deus tem por nós? E se contarmos as bênçãos e os atos de fidelidade que recebemos hoje, e amanhã, e diariamente? O que aconteceria? Como isso transformaria nosso dia a dia?

Paulo afirma em Filipenses 4.7 que começaremos a experimentar uma paz incrível, um tipo de paz que sequer podemos imaginar. Uma paz que não faz sentido, humanamente falando. Essa paz tão poderosa é capaz de proteger nosso coração e nossa mente, afastando as preocupações e promovendo a gratidão. Hoje, deixe o Senhor levar o seu fardo, e ore!

Oração

Amado Deus, eu oro para que me toques com teu poder, renoves minha visão espiritual, restaures minha energia e reabasteças meu espírito. Dá-me sabedoria para que eu possa ver as coisas da maneira que tu vês. Dá-me a mente de Cristo em todas as situações para que eu possa amar como tu amas e abençoar os outros como tu abençoas. Em nome de Jesus. Amém.

Anotações

ADORANDO COM A ORAÇÃO

Sabemos que devemos sempre viver em estado de adoração diante do Senhor. No entanto, estabelecer isso como realidade em nossa vida não é algo que acontece do dia para a noite. Muitos de nós estamos acomodados a nossos hábitos e padrões de pensamento. Para expandir de forma prática e cristocêntrica nosso louvor, precisamos investir tempo em novos costumes que nos ajudem a adorar Jesus intencionalmente em tudo o que fazemos.

A oração diária é um sábio ponto de partida. Ao longo da Bíblia e da história da igreja, a oração compôs um aspecto extremamente importante da adoração do povo de Deus. Quando a oração faz parte de nossa rotina, encontramos também intimidade, contentamento e alegria em Jesus. Ela é uma fonte profunda para a adoração.

Fato é que, quando Jesus nos ensina a orar em Mateus 6, a segunda frase da oração do Pai Nosso é de exaltação: "Santificado seja teu nome". Sim, a oração em si mesma já é um louvor, pois reconhece o senhorio de Deus. Mais que isso, porém, a oração conduz nosso coração a uma postura de adoração.

Em 1Tessalonicenses 5.16-18, Paulo diz: "Estejam sempre alegres. Nunca deixem de orar. Sejam gratos em todas as circunstâncias, pois essa é a vontade de Deus para vocês em Cristo Jesus". Essa é uma bela figura de um cristão em adoração. É a vontade de Deus para nós que vivamos alegremente, em oração e em gratidão. Quanto mais nos engajamos nisso, mais a adoração a Deus se torna uma realidade em nossa vida.

Como está sua vida neste momento? Por vezes, nossas orações acabam se assemelhando a uma lista de compras, na qual vamos enumerando as coisas que queremos. Não há problema em pedir a Deus aquilo que você deseja. No entanto, considere separar um tempo esta semana para se focar em quem nosso Deus todo-poderoso é. Lembre-se que seu tempo de oração é um tempo de adoração.

Para finalizar, permita que esta oração ressoe em seu coração e em seus lábios:

"Senhor Jesus, obrigado por quem tu és. Ao entrar em tua presença, eu louvo teu nome. Ajuda-me a cultivar tempo precioso e intencional de oração contigo todos os dias, e que com os olhos em ti eu vivencie alegria e gratidão em tudo o que faço. Amém".

CONTEÚDO EXTRA

Ouça "A história de Neemias"

SEMANA ① ② ③ ④

Adoração e louvor

A verdadeira adoração exalta a Deus, colocando-o em seu devido lugar em nossa vida.
Arival Dias Casimiro

DIA 1

O trono no céu

APOCALIPSE 4.1-4,6,8-11

Então, quando olhei, vi uma porta aberta no céu, e a mesma voz que eu tinha ouvido antes falou comigo como um toque de trombeta. A voz disse: "Suba para cá, e eu lhe mostrarei o que acontecerá depois destas coisas". E, no mesmo instante, fui tomado pelo Espírito e vi um trono no céu e alguém sentado nele. Aquele que estava sentado no trono brilhava como pedras preciosas, como jaspe e sardônio. Um arco-íris, com brilho semelhante ao da esmeralda, circundava seu trono. Ao redor do trono havia 24 tronos, nos quais estavam sentados 24 anciãos. Estavam todos vestidos de branco e usando coroas de ouro na cabeça. [...] No centro e ao redor do trono havia quatro seres vivos, cada um coberto de olhos na frente e atrás. [...]. Dia e noite, repetem sem parar: "Santo, santo, santo é o Senhor Deus, o Todo-poderoso, que era, que é e que ainda virá". Cada vez que os seres vivos dão glória, honra e graças ao que está sentado no trono, àquele que vive para todo o sempre, os 24 anciãos se prostram e adoram o que está sentado no trono, aquele que vive para todo o sempre. Colocam suas coroas diante do trono e dizem: "Tu és digno, ó Senhor e nosso Deus, de receber glória, honra e poder. Pois criaste todas as coisas, e elas existem porque as criaste segundo a tua vontade".

Devocional

Quando prestamos adoração e louvor a Deus, muitas vezes recorremos a palavras como glorioso, santo e majestoso sem pensar direito no que significam. No entanto, esses são termos que descrevem a própria natureza divina. A passagem de hoje nos ajuda a refletir sobre essas características, à medida que entramos com o apóstolo João na sala do trono no céu para testemunhar a glória e a majestade do Deus que exaltamos em nossos momentos de adoração.

Dentro das limitações da linguagem e da compreensão humana, o apóstolo João descreveu o que viu da melhor maneira que pôde: um trono e o esplendor de Jesus, o Cordeiro, assentado nele. Ele observou a presença de vinte e quatro anciãos e quatro seres vivos que incessantemente glorificam, honram e louvam a Deus enquanto cantam: "Santo, santo, santo é o Senhor Deus, o Todo-poderoso, que era, que é e que ainda virá". Em resposta a esses seres, os anciãos se prostram e adoram, depositando suas coroas diante do trono de Deus. Eles tiveram um vislumbre da beleza de sua santidade, e todo o reino celestial irrompeu conjuntamente em adoração e contemplação.

Embora, ao contrário de João, ainda não sejamos capazes de ver essa cena com nossos olhos físicos, nossa adoração deve se fundamentar nesse mesmo sentimento. Quando refletimos sobre a realidade do céu, a magnificência de Deus e a glória do Cordeiro, nossa resposta deve ser colocar tudo o que temos aos pés do Senhor e nos juntar ao céu e a toda criatura em adoração, dizendo: "Louvor e honra, glória e poder pertencem àquele que está sentado no trono e ao Cordeiro para todo o sempre!" (Apocalipse 5.13).

Um dia, teremos o imenso e inigualável privilégio de testemunhar pessoalmente a glória do Cordeiro na majestade do céu, e louvamos a Deus por isso. Desde já, porém, devemos contemplá-lo e adorá-lo, pois nossos olhos da fé conseguem vislumbrar a beleza do Senhor. Pela fé, podemos experimentar realidades espirituais e nos maravilhar no caráter do Deus que se desfez de sua glória para tomar nosso lugar na cruz. Então, levante sua voz em honra e glória a ele hoje, pois só ele é digno.

Oração

Senhor Jesus, ajuda-me a contemplar tua majestade e tua glória tão claramente quanto fizeram os vinte e quatro anciãos e o apóstolo João. Que eu viva em adoração, louvando-te em todas as coisas. Que teu Espírito Santo revele em maior profundidade teu caráter e tua natureza, para que eu possa crescer em adoração, em resposta a quem tu és. Em teu nome eu oro. Amém.

Anotações

> A adoração não faz parte da vida cristã;
> ela é a própria vida cristã.
> Gerald Vann

DIA 2
A adoração de Maria

MARCOS 14.3-9

Jesus estava em Betânia, na casa de Simão, o leproso. Quando ele estava à mesa, uma mulher entrou com um frasco de alabastro contendo um perfume caro, feito de essência de nardo. Ela quebrou o frasco e derramou o perfume sobre a cabeça dele. Alguns dos que estavam à mesa ficaram indignados. "Por que desperdiçar um perfume tão caro?", perguntaram. "Poderia ter sido vendido por trezentas moedas de prata, e o dinheiro, dado aos pobres!" E repreenderam a mulher severamente. Jesus, porém, disse: "Deixem-na em paz. Por que a criticam por ter feito algo tão bom para mim? Vocês sempre terão os pobres em seu meio e poderão ajudá-los sempre que desejarem, mas nem sempre terão a mim. Ela fez o que podia e ungiu meu corpo de antemão para o sepultamento. Eu lhes digo a verdade: onde quer que as boas-novas sejam anunciadas pelo mundo, o que esta mulher fez será contado, e dela se lembrarão".

Devocional

A história que lemos hoje relata a devoção pessoal de Maria em adoração. Foi um momento de adoração exuberante, expressiva e cara, cuja essência deve servir de exemplo para todos nós. Maria, irmã de Lázaro, adorou o Senhor de forma desenfreada, sem reservas ou restrições, e seu ato foi tão significativo que é narrado em todos os quatro Evangelhos. Mateus, Marcos, Lucas e João foram impactados pelo que ela fez e apresentaram em seus escritos diferentes detalhes que os impressionaram.

A beleza do ato dessa mulher está em sua extravagância. Ela não poupou nada do unguento valioso. Pelo contrário, quebrou o frasco e derramou todo o perfume sobre

Jesus. Judas, com sua mente má, calculou que o perfume valia trezentos denários. Considerando que um denário equivalia ao salário de um dia de trabalho, tratava-se de uma soma tremenda. Aos olhos de Judas, a mulher havia desperdiçado uma enorme quantidade de dinheiro ao derramar o unguento sobre Jesus. Foi um ato totalmente espontâneo e admirável.

Diante de sua entrega, Jesus disse a Maria: "Eu lhes digo a verdade: onde quer que as boas-novas sejam anunciadas pelo mundo, o que esta mulher fez será contado, e dela se lembrarão". Ela reconheceu em Jesus quem ele verdadeiramente é, isto é, o Deus salvador, o Deus amoroso, seu maior tesouro, e Jesus a honrou por isso. A oferta que ela fez ao Senhor seria lembrada onde quer que o evangelho fosse pregado. Ela havia feito algo lindo para Jesus, e ele mostraria ao mundo como esse ato de adoração foi especial.

Podemos não conseguir demonstrar nossa devoção e consagração da mesma forma que Maria, mas Jesus vê nosso coração e responde a nossa adoração com graça e favor. Ao depositarmos nossas coroas diante dele, como fazem os vinte e quatro anciãos diante do trono no céu, Jesus graciosamente nos presenteia com seu íntimo abraço. Adoração é uma entrega nossa para Deus, mas, surpreendentemente, trata-se de um presente que, quando damos, nós é que somos enriquecidos.

Oração

Amado Senhor Deus, quero seguir o exemplo de Maria e oferecer-te sacrifícios de louvor e adoração, entregando-te tudo o que tenho de mais precioso. Que o Espírito Santo invada cada pedacinho de meu ser e trabalhe para que eu exale um perfume agradável a ti. Ajuda-me a fazer maravilhas em teu nome e para tua glória. Em nome de Jesus. Amém.

Anotações

Reunir-se com o povo de Deus para adorar o Pai é tão necessário para a vida cristã quanto a oração.
Martinho Lutero

DIA 3

Juntos em adoração

SALMOS 95.1-7

Venham, vamos cantar ao Senhor! Vamos aclamar a Rocha de nossa salvação. Vamos chegar diante dele com ações de graças e cantar a ele salmos de louvor. Pois o Senhor é o grande Deus, o grande Rei acima de todos os deuses. Em suas mãos estão as profundezas da terra, a ele pertencem os mais altos montes. O mar é dele, pois ele o criou; suas mãos formaram a terra firme. Venham, vamos adorar e nos prostrar, vamos nos ajoelhar diante do Senhor, nosso Criador, pois ele é o nosso Deus. Somos o povo que ele pastoreia, o rebanho sob o seu cuidado.

Devocional

Acredita-se que os israelitas entoavam juntos uma série de salmos enquanto subiam ao templo em Jerusalém para adorar. No salmo 95, em especial, encontramos dois apelos que nos exortam a adorar. No primeiro verso, o salmista dança e louva: "Venham, vamos cantar ao Senhor! Vamos aclamar a Rocha de nossa salvação". Em seguida, convida: "Vamos chegar diante dele com ações de graças e cantar a ele salmos de louvor". Com frequência entendemos a adoração como um esforço individual, mas nesse salmo vemos o plural ser repetido num alegre convite, o que nos deve motivar algumas considerações.

Adoração não é algo solitário ou pesado. Na verdade, adorar a Deus é tanto um privilégio quanto um dever. Não podemos entrar na presença do Senhor como quem planeja riscar um item na lista de afazeres. Pelo contrário, entramos como "o povo que ele pastoreia", como aqueles chamados e unidos por um Pastor, pois a adoração é sempre um encontro.

Essa dádiva da pluralidade, coletividade e comunhão nem sempre é fácil de receber. Nem sempre queremos transformação ou esperamos que ela aconteça de acordo com nossa vontade. Assim, muitas vezes preferimos ficar sozinhos e não ser perturbados. No entanto, por mais que recebamos bênção e conhecimento do Senhor de forma individual, o salmo 95 nos aponta para o fato de que também devemos estar na reunião do povo de Deus, onde ele derrama mais de si mesmo.

A lição a ser extraída desse salmo é que adoração não é algo para ser desfrutado apenas isoladamente, mas também algo a se fazer como membro de um corpo, junto de outros irmãos da igreja de Cristo. O salmo 133 diz: "Como é bom e agradável quando os irmãos vivem em união! [...] Ali o Senhor pronuncia sua bênção e dá vida para sempre". Unidos recebemos mais de Deus, em comunhão uns com os outros. Portanto, "Venham, vamos cantar ao Senhor!".

Oração

Amado Senhor Deus, obrigado por nos lembrares de que devemos adorar em igreja, juntos, corporativamente, sempre que pudermos. Não fomos feitos para viver isoladamente, mas sim em comunidade. Ajuda-nos a ver a importância desses momentos e priorizá-los, mesmo em meio à correria do dia a dia. Ensina-nos a buscar-te em primeiro lugar. Em nome de Jesus. Amém.

Anotações

A glória de Deus sempre demanda o sacrifício do ego.
A. W. Tozer

DIA 4

Sacrifícios vivos

ROMANOS 12.1-2

Portanto, irmãos, suplico-lhes que entreguem seu corpo a Deus, por causa de tudo que ele fez por vocês. Que seja um sacrifício vivo e santo, do tipo que Deus considera agradável. Essa é a verdadeira forma de adorá-lo. Não imitem o comportamento e os costumes deste mundo, mas deixem que Deus os transforme por meio de uma mudança em seu modo de pensar, a fim de que experimentem a boa, agradável e perfeita vontade de Deus para vocês.

Devocional

O conceito de autossacrifício contraria os ideais da cultura contemporânea. Continuamente deparamos com mensagens sutis, e outras nem tanto, nos dizendo que nos coloquemos em primeiro lugar, que reivindiquemos nossos direitos e escolhamos nosso próprio caminho. Mas Deus chama seu povo para se oferecer como sacrifício vivo, santo e agradável, o que significa que devemos nos separar do mundo e nos entregar ao Senhor para que seus propósitos se cumpram em nossa vida.

Quando compreendemos tudo o que Deus fez por nós em Cristo, nossa resposta deve ser uma entrega deliberada e voluntária de nosso coração, mente e vida, pois o Senhor nos cobriu com sua compaixão e misericórdia. Aonde quer que ele nos envie, nós vamos; tudo o que ele requerer de nós, nós fazemos; e tudo o que ele desejar, nós também desejaremos. E devemos lembrar que não se trata de uma decisão que tomamos uma única vez, mas sim de uma rendição contínua e diária à vontade de Deus.

Em todo o tempo temos a opção de murmurar ou de reconhecer o direito de Deus de estar no comando, confiando que sua vontade é boa, agradável e perfeita. Como cristãos, devemos lembrar que não há escolha melhor que confiar de todo o coração em nosso Deus, que é Todo-Poderoso, sabe de todas as coisas e nos ama incondicionalmente.

Conforme aprendemos no Antigo Testamento, uma vez que um animal era oferecido a Deus como expiação, ninguém jamais tentava tirá-lo do altar ou pegar uma porção de volta. Contudo, isso de certa forma descreve o que costumamos fazer: escorregamos para fora do altar, confiando em nosso limitado conhecimento e buscando os interesses da carne. Isso tudo evidencia nossa dificuldade em perseverar e acarretará consequências danosas. Tornar-se sacrifício vivo ao Senhor é, além de um dever, um privilégio enorme. Quando nos rendemos totalmente a ele, ele nos transforma à imagem de seu Filho Jesus, usa nossos dons em prol de seu reino e abençoa nossa vida com o fruto do Espírito Santo. Não apenas isso, mas quando oferecemos nosso corpo a Deus ao invés de viver em pecado, nós nos tornamos santos e agradáveis a ele.

Oração

Amado Senhor Deus, eu me comprometo de todo o coração a viver de maneira agradável a ti. Ajuda-me a ser um sacrifício vivo, verdadeiramente entregue a teus propósitos. Desejo desesperadamente agradar-te acima de tudo em vez de buscar a afirmação de outras pessoas ou a satisfação de meus próprios desejos. Que eu possa oferecer-te uma devoção mais profunda, pois és digno de toda honra. Em nome de Jesus. Amém.

Anotações

> Não conheço prazer tão rico, tão puro, tão santificador em suas influências ou ainda tão constante em seus benefícios como aquele que resulta da verdadeira e espiritual adoração a Deus.
>
> Richard Watson

DIA 5

Louvar, ofertar, celebrar

SALMOS 96.1-13

Cantem ao Senhor um cântico novo! Toda a terra cante ao Senhor! Cantem ao Senhor e louvem o seu nome; proclamem todos os dias a sua salvação. Anunciem a sua glória entre as nações, contem a todos as suas maravilhas. Grande é o Senhor! Digno de muito louvor! Ele é mais temível que todos os deuses. Os deuses de outros povos não passam de ídolos, mas o Senhor fez os céus! Glória e majestade o cercam, força e beleza enchem seu santuário. Ó nações do mundo, reconheçam o Senhor; reconheçam que o Senhor é forte e glorioso. Deem ao Senhor a glória que seu nome merece, tragam ofertas e entrem em seus pátios. Adorem o Senhor em todo o seu santo esplendor; toda a terra trema diante dele. Digam entre as nações: "O Senhor reina!"; ele firmou o mundo para que não seja abalado e com imparcialidade julgará todos os povos. Alegrem-se os céus e exulte a terra! Deem louvor o mar e tudo que nele há! Os campos e suas colheitas gritem de alegria! As árvores do bosque exultem diante do Senhor, pois ele vem; ele vem julgar a terra. Julgará o mundo com justiça e as nações, com sua verdade.

Devocional

O salmo 96 é um hino de adoração que nos encoraja a entoar novas canções a Deus. Muitos de nós amamos o que é familiar, e de fato há algo reconfortante em uma música que conhecemos de cor. Sabendo cantá-la sem ter de olhar para as palavras, podemos simplesmente fechar os olhos e adorar. No entanto, o salmista nos mostra a importância de cantar um cântico novo ao Senhor, e para fazer isso precisamos de novas experiências com ele. O que vivemos com Deus hoje deve nos tornar capazes de dizer algo novo, a fim de expressar criativamente quem ele é e como ele tem operado em nós.

Podemos extrair da passagem de hoje várias lições sobre adoração e sobre como cantar um cântico novo ao Senhor. Por ora, analisemos mais de perto três aspectos da adoração: louvar, ofertar e celebrar. Em primeiro lugar, devemos saber que adorar significa louvar a Deus. "Grande é o Senhor! Digno de muito louvor!", diz o verso 4. Quando louvamos a Deus, magnificamos quem ele é muito mais do que as obras que ele fez ou fará. O louvor põe a natureza e o caráter de Deus em primeiro plano em nossa mente.

O segundo aspecto da adoração é que ela envolve dar uma oferta a Deus. "Deem ao Senhor a glória que seu nome merece, tragam ofertas e entrem em seus pátios", diz o verso 8. O tipo de oferta descrito pelo salmista é uma oferta de gratidão. Não podemos verdadeiramente celebrar o valor de nosso Salvador e Criador sem sermos movidos a retribuir de algum modo. Compreender as profundezas do que ele fez por nós nos levará a uma generosidade genuína para com os outros.

Finalmente, adorar significa celebrar porque um dia Cristo retornará! Chegará o dia em que todos os que creem estarão unidos em adoração. No dia em que Cristo retornar, todos os cristãos do passado, do presente e do futuro adorarão como um só, e toda a criação se unirá a essa adoração. "Alegrem-se os céus e exulte a terra! Deem louvor o mar e tudo que nele há!", convida o verso 11. Então, adoremos o Senhor hoje!

Oração

Amado Deus e Pai celestial, meu desejo é cantar para ti hoje uma nova canção. Não quero viver apenas da revelação de ontem de quem tu és. Quero me aprofundar em teu conhecimento. Abra os olhos de meu coração, para que eu possa conhecer-te cada vez mais e confiar em ti mais profundamente. Em nome de Jesus. Amém.

Anotações

> Adorar é despertar a consciência para a santidade de Deus, alimentar a mente com a verdade de Deus, purificar a imaginação com a beleza de Deus, abrir o coração para o amor de Deus e dedicar a vontade ao propósito de Deus.
>
> William Temple

DIA 6

A centralidade da adoração

JUDAS 1.17-25

Amados, lembrem-se do que previram os apóstolos de nosso Senhor Jesus Cristo. Eles lhes disseram que nos últimos tempos haveria zombadores cujo propósito na vida é satisfazer seus desejos perversos. Eles provocam divisões entre vocês e seguem seus instintos naturais, pois não têm neles o Espírito. Mas vocês, amados, edifiquem uns aos outros em sua santíssima fé, orem no poder do Espírito Santo e mantenham-se firmes no amor de Deus, enquanto aguardam a vida eterna que nosso Senhor Jesus Cristo lhes dará em sua misericórdia. Tenham compaixão daqueles que vacilam na fé. Resgatem outros, tirando-os das chamas do julgamento. De outros ainda, tenham misericórdia, mas façam isso com grande cautela, odiando os pecados que contaminam a vida deles. Toda a glória seja àquele que é poderoso para guardá-los de cair e para levá-los, com grande alegria e sem defeito, à sua presença gloriosa. Toda a glória seja àquele que é o único Deus, nosso Salvador por meio de Jesus Cristo, nosso Senhor. Glória, majestade, poder e autoridade lhe pertencem desde antes de todos os tempos, agora e para sempre! Amém.

Devocional

A carta de Judas é uma das três no Novo Testamento que termina com adoração. A maioria das epístolas termina com saudações ou bênçãos pessoais, mas Judas encerra com uma alta nota de louvor, uma doxologia a Deus (*doxa*, do grego, significa "glória"). E isso não porque a adoração é a última coisa com que Judas se preocupa, mas exatamente pelo oposto: ele finaliza com adoração porque é o mais importante, é para onde todas as coisas apontam.

Qualquer coisa que precise ser dita, quaisquer doutrinas que precisem ser reafirmadas, quaisquer medidas pastorais que precisem ser estabelecidas, tudo deve terminar em adoração. Há muitas pessoas que começam sua vida cristã com adoração e louvor, repletos de gratidão e alegria porque Deus os alcançou e lhes concedeu perdão. Com o tempo, porém, as tentações, decepções e exigências da vida acabam desgastando aquele primeiro amor e esvaziando a adoração. O sentimento de admiração a Deus se perde, assim como o desejo de adorá-lo.

Judas termina sua carta dizendo "Toda a glória seja àquele", a fim de chamar a atenção da igreja para estar presente com Jesus agora. Agora é a hora de nos voltarmos para Deus em adoração. Não raro, esperamos até que nossos sentimentos se alinhem com o que sabemos ser a coisa certa a fazer, mas Judas nos pede e nos incentiva que adoremos exatamente no ponto em que estamos de nossa caminhada com Cristo, não importa qual seja.

Voltemos nossa atenção para a glória de Deus e para Cristo, que é o objeto de nossa adoração. Ele é a direção de nossas afeições, o foco de nossas devoções. E a maior notícia de todas é esta: aquele em quem nos alegramos também se alegra em nós. Por isso, busquemos contar nossos dias na presença de Deus, de quem recebemos toda dádiva.

Oração

Senhor Deus, reconheço que há dias em que deixo de adorar-te, por não sentir vontade de fazê-lo ou por minhas expectativas não corresponderem ao que tu intentas fazer em minha vida no momento. Perdoa-me, Senhor, e ajuda-me a ter os olhos em ti como único objeto de minha adoração. Quero entoar louvores a teu nome, porque tu entoas bênçãos sobre minha vida. Ajuda-me a ser um verdadeiro adorador, em espírito e em verdade, para que eu possa ver-te com mais clareza e ouvir-te com mais frequência. Em nome de Jesus. Amém.

Anotações

> Se você tivesse mil coroas, deveria colocá-las todas na cabeça de Cristo! E se tivesse mil línguas, todas elas deveriam cantar louvores a ele, pois ele é digno!
>
> William Tiptaft

DIA 7

A supremacia de Cristo

COLOSSENSES 1.15-20

O Filho é a imagem do Deus invisível e é supremo sobre toda a criação. Pois, por meio dele, todas as coisas foram criadas, tanto nos céus como na terra, todas as coisas que podemos ver e as que não podemos, como os tronos, reinos, governantes e as autoridades do mundo invisível. Tudo foi criado por meio dele e para ele. Ele existia antes de todas as coisas e mantém tudo em harmonia. Ele é a cabeça do corpo, que é a igreja. Ele é o princípio, supremo sobre os que ressuscitam dos mortos; portanto, ele é primeiro em tudo. Pois foi do agrado do Pai que toda a plenitude habitasse no Filho, e, por meio dele, o Pai reconciliou consigo todas as coisas. Por meio do sangue do Filho na cruz, o Pai fez as pazes com todas as coisas, tanto nos céus como na terra.

Devocional

Nos breves e famosos versos de hoje, deparamos com o que é geralmente aceito como um dos primeiros hinos da igreja. Não precisamos ir muito além dessas inspiradoras e notáveis palavras para encontrar um modelo e uma teologia para nossa adoração. Uma característica que se destaca na passagem é a repetição do pronome "ele", sempre apontando para Jesus, e a completa ausência de qualquer referência a nós. A verdadeira adoração tem Jesus como foco. Ele é o centro e o alvo de nossa adoração.

Esta passagem nos mostra três coisas: a divindade de Jesus ("a imagem do Deus invisível"), a criatividade de Jesus ("por meio dele, todas as coisas foram criadas, tanto nos céus como na terra"), e a supremacia de Jesus ("Ele existia antes de todas as coisas"). A passagem repete a palavra grega para "tudo" oito vezes. É tudo sobre ele, tudo por causa dele, tudo para ele. Jesus Cristo é o "quem" e o "porquê" da nossa adoração. Desde as complexidades de um único átomo até a expansão maciça do universo, tudo passou a existir sob o comando de Cristo. Esse é o incrível poder do Filho de Deus.

Quando nos concentramos em nós mesmos, muitas vezes desanimamos ao constatar nossas falhas, nossos pecados, nossas dificuldades, e a sensação de vergonha nos domina. No entanto, quando nos concentramos em Cristo, renovamos nossa esperança e nos lembramos da força que podemos ter como filhos de Deus. A paz e a confiança vêm quando nos damos conta de que ele nos tem em seus braços eternos e nunca nos deixará ir.

Ninguém é mais suficiente, mais poderoso ou mais amoroso que nosso único e verdadeiro Salvador. Jesus tem todo o poder, tanto criativo quanto sustentador, para ajudar você a lidar com tudo o que você enfrenta. Ele quer que você pare de se preocupar. Então, faça uma lista de tudo o que você sabe sobre ele. E deixe todos os seus medos aos pés do Senhor hoje. Pois, por meio dele, todas as coisas são reconciliadas.

Oração

Senhor Jesus, tu és o alvo de minha adoração. Ajuda-me a manter os olhos em ti. Capacita-me a buscar em ti força, sabedoria e poder, para que eu possa, como filho de Deus, ter confiança e glorificar-te diariamente. Obrigado, Senhor, porque és suficiente e porque em ti há plenitude de vida. Em nome de Jesus. Amém.

Anotações

POEMA: "INCOMPREENSÍVEL"

Tão difícil me entender
Como sou inconstante
Faço coisas sem querer
Sou o meu próprio gigante

Em um dia me levanto
Decidido a melhorar
Medito, oro e canto
Me aproximo do altar

Mas em outro eu nem tento
E me rendo ao meu eu
Priorizo o momento
O egoísmo me venceu

Cada sim que dou pra mim
É um não ao teu convite
É um passo rumo ao fim
Ainda bem que não desistes

Tão difícil te entender
Como nada em ti se altera
Se a ti eu entristecer
Teu perdão ainda me espera

Eu te troco por tão pouco
Me comporto igual a Judas
Eu te trato como louco
E mesmo assim tu me ajudas

Por que eu sou assim?
Por que sempre estrago tudo?
Por que sou tão ruim?
E, diante disso, como eu mudo?

Eu sempre tento me explicar
Amenizar, me defender
Mas tu só queres me amar
E só tu podes me entender

Eu sou injustificável
Mas tu, Senhor, com alto custo
Em um gesto incomparável
Por tua graça me fizeste justo

O amor, que de forma ativa,
Redime quem não merece perdão
É a única justificativa
Para a justificação

Rodrigo Maranhão

Ouça o salmo 91

SEMANA

Sete chaves para a devoção espiritual

> A saúde espiritual de alguém é exatamente proporcional a seu amor por Deus.
> C. S. Lewis

DIA 1

Lições de Éfeso

APOCALIPSE 2.1-7

"Escreva esta carta ao anjo da igreja em Éfeso. Esta é a mensagem daquele que segura na mão direita as sete estrelas, daquele que anda entre os sete candelabros de ouro: Sei de tudo que você faz. Vi seu trabalho árduo e sua perseverança, e sei que não tolera os perversos. Examinou as pretensões dos que se dizem apóstolos, mas não são, e descobriu que são mentirosos. Sofreu por meu nome com paciência, sem desistir. Contudo, tenho contra você uma queixa: você abandonou o amor que tinha no princípio. Veja até onde você caiu! Arrependa-se e volte a praticar as obras que no início praticava. Do contrário, virei até você e tirarei seu candelabro de seu lugar entre as igrejas. Mas há isto a seu favor: você odeia as obras dos nicolaítas, como eu também odeio. Quem tem ouvidos para ouvir, ouça o que o Espírito diz às igrejas. Ao vitorioso, darei o fruto da árvore da vida que está no paraíso de Deus."

Devocional

Ao longo das semanas temos refletido sobre crescer na fé de forma prática. Contemplando as Escrituras, descobrimos que a fé resiliente se desenvolve por meio do relacionamento com Deus. Se conhecemos Cristo, confiamos nele. O texto profético de Apocalipse nos proporciona uma visão sobre o reino espiritual. Assim, nos próximos sete dias, exploraremos as mensagens de Jesus para sete igrejas e como elas se aplicam a nós.

Considere o GPS de seu celular. Os navegadores modernos utilizam o tráfego ao vivo para nos ajudar a descobrir o caminho ideal. Enquanto dirigimos, as ruas à frente vão ficando vermelhas à medida que o congestionamento se aproxima. É um sistema de alerta. O navegador funciona como um aviso para que você possa ajustar sua rota e evitar transtornos. É para isso que servem os avisos. Quando Jesus nos alerta, devemos prestar a devida atenção. E, embora parte do conteúdo de Apocalipse seja mesmo de difícil compreensão, não se trata de um livro que visa causar desespero, mas sim provocar mudança de direção.

Ao abordar os cristãos da igreja de Éfeso, Jesus faz um elogio e lança um desafio. Por um lado, eles eram pessoas firmes e engajadas no serviço do reino, que nunca comprometeram a verdade. Em suma, um exemplo para todos nós. Jesus elogiou sua fiel perseverança. Porém, também lhes fez uma severa advertência. Apesar de suas obras, os efésios haviam esquecido a essência do cristianismo e abandonado o primeiro amor. Haviam perdido o zelo por Jesus e, consequentemente, não estavam operando com o amor sacrificial que dá testemunho de Deus. Era como se estivessem no piloto automático, sendo levados pela vida. Você já se sentiu assim? A exemplo do GPS, Jesus os adverte de que mudem de rota. Ele queria o melhor para eles. Queria que comessem da árvore da vida. Não era tarde demais para eles, e não é tarde demais para você hoje.

Nada do que fazemos por Jesus faz sentido sem amor. Deus é amor, e quando o amor desaparece só nos resta a vaidade. Nossa vida espiritual se torna árida, e mesmo obras supostamente impressionantes representam pouco onde o amor está ausente. Tornamo-nos como "o sino que ressoa". Deus está mais interessado em nosso coração do que em nossas realizações. O amor deve ser nosso ponto central. Lembre-se de quando você encontrou a Deus pela primeira vez, seja revisitado pela graça perdoadora e transformadora e apaixone-se por Jesus novamente.

Oração

Querido Deus e Pai, obrigado por teu amor inabalável. O amor de Jesus define tudo que faço como cristão. Ajuda-me a contemplar tua misericórdia, tua bondade e teu perdão, e a renovar meu amor por ti. Que eu encontre prontamente maneiras de amar aqueles que me rodeiam. Que eu viva cada momento conectado a ti. Em nome de Jesus. Amém.

Anotações

Jesus prometeu aos discípulos três coisas: que eles seriam completamente destemidos, absurdamente felizes e que enfrentariam problemas constantes.
G. K. Chesterton

DIA 2

Lições de Esmirna

APOCALIPSE 2.8-11

"Escreva esta carta ao anjo da igreja em Esmirna. Esta é a mensagem daquele que é o Primeiro e o Último, que esteve morto mas agora vive: Conheço suas aflições e sua pobreza, mas você é rico. Sei da blasfêmia dos que se opõem a você. Eles se dizem judeus, mas não são, pois a sinagoga deles pertence a Satanás. Não tenha medo do que está prestes a sofrer. O diabo lançará alguns de vocês na prisão a fim de prová-los, e terão aflições por dez dias. Mas, se você permanecer fiel mesmo diante da morte, eu lhe darei a coroa da vida. Quem tem ouvidos para ouvir, ouça o que o Espírito diz às igrejas. Quem for vitorioso não sofrerá o dano da segunda morte."

Devocional

O que você sente quando alguém diz "isto vai doer"? Provavelmente algum tipo de pavor. São palavras que ouvimos no dentista, ou antes de uma injeção. Trata-se de um alerta a respeito de uma dor iminente. E é o que Jesus proclama a uma igreja inteira: "Não tenha medo do que está prestes a sofrer". Esmirna era uma cidade conhecida por sua perseguição aos cristãos. Quando Jesus se dirige aos cristãos daquele lugar, ele está se dirigindo a uma comunidade em conflito. Consequentemente, suas palavras são escolhidas com cuidado e contêm grande poder. E elas podem nos guiar em nossas lutas de hoje.

Com base nas palavras do Senhor, podemos destacar duas reflexões. Em primeiro lugar, Jesus reconhece o sofrimento da igreja. Deus não é passivo, distante ou ausente no sofrimento. Em vez disso, ele é Emanuel, Deus conosco. Jesus se envolve tangível e voluntariamente em nossa fragilidade. Ele nos encontra em nossa dor porque se preocupa genuinamente conosco. Ele chora com aqueles que choram.

Na passagem de hoje, Jesus valida as lutas de seu povo, elogiando-o por sua fidelidade. Ele também lhes mostra que os compreende, identificando-se como aquele "que esteve morto". É reconfortante saber que Jesus passou por todas as trevas e, portanto, não temos de esconder dele nossa dor. Ele a entende. Se você está sofrendo hoje, ele o vê. Em segundo lugar, Jesus não apenas reconhece nosso sofrimento. Ele também nos ajuda a vê-lo de maneira diferente. Embora a igreja em Esmirna provavelmente se sentisse vazia, Jesus diz que seus membros são espiritualmente ricos. Embora se sentissem derrotados, Jesus lhes promete a coroa da vida.

As declarações de Jesus envolvem palavras sobre o sofrimento. A dor terrena é colocada dentro de um quadro eterno, e nele Jesus, o Redentor vitorioso, venceu a morte e liberou a ressurreição e a vida. Em Cristo, o que quer que você esteja passando, não é o fim. Nem mesmo a morte é o fim. A vitória de Cristo é sua! Portanto, permaneça fiel mesmo em meio ao sofrimento. Em vez de negar ou sufocar a dor, admita-a em oração e entregue-a ao Senhor. Deixe que ele mude seu olhar sobre ela. Escolha focar-se em Jesus e deposite nele sua confiança. Ao permanecer no caminho, você terá a certeza de que "não sofrerá o dano da segunda morte". Uma eternidade de paz o aguarda.

Oração

Querido Deus e Pai, obrigado por estares comigo em minhas dores e adversidades. Sei que estás perto hoje. Peço-te que me ajudes a ser fiel a ti ao enfrentar situações difíceis. Dá-me forças para prosseguir quando eu tiver vontade de desistir. Tu és o Senhor, aquele que morreu e ressuscitou. Estou eternamente seguro em tuas mãos. Em nome de Jesus. Amém.

Anotações

> Somos santos porque a santidade de Cristo nos é imputada.
> Estamos sendo santificados pela obra do Espírito Santo
> que nos comunica a vida de Cristo.
> Jerry Bridges

DIA 3

Lições de Pérgamo

APOCALIPSE 2.12-17

"Escreva esta carta ao anjo da igreja em Pérgamo. Esta é a mensagem daquele que tem a espada afiada dos dois lados: Conheço o lugar onde você vive, a cidade onde está o trono de Satanás. Ainda assim, você permanece leal a meu nome. Recusou-se a negar sua fé em mim até mesmo quando Antipas, minha testemunha fiel, foi morto onde vocês vivem, o lugar de habitação de Satanás. Contudo, tenho contra você algumas queixas. Você tolera em seu meio pessoas cujo ensino é semelhante ao de Balaão, que mostrou a Balaque como fazer o povo de Israel tropeçar. Ele os instigou a comer alimentos oferecidos a ídolos e a praticar imoralidade sexual. De igual modo, há entre vocês alguns que seguem o ensino dos nicolaítas. Portanto, arrependa-se ou virei subitamente até você e lutarei contra eles com a espada de minha boca. Quem tem ouvidos para ouvir, ouça o que o Espírito diz às igrejas. Ao vitorioso, darei do maná escondido. Também lhe darei uma pedra branca, e nela estará gravado um nome novo, que ninguém conhece, a não ser aquele que o recebe".

Devocional

A regra 1 em 60 é um princípio de navegação aérea usado para calcular o desvio de aeronaves fora da rota. A cada grau de afastamento, um avião ficará uma milha náutica fora da rota para cada sessenta milhas percorridas. Essas pequenas mudanças escalam rapidamente, de modo que, se um avião indo de Nova Iorque para Tóquio errar um grau de direção, chegará em algum lugar a 185 quilômetros de Tóquio. Pequenas variações na trajetória têm grande impacto final. É sobre isso que Jesus adverte a igreja de Pérgamo.

Pérgamo era uma metrópole movimentada na Ásia, um caldeirão de espiritualidade pagã e idolatria. Ser cristão lá era difícil. A igreja era constantemente exposta à pressão cultural. Ao falar com os cristãos dali, Jesus elogia sua fidelidade mas também os repreende amorosamente: a igreja estava sucumbindo a desvios de um grau, corrompendo-se espiritualmente e aceitando ensinamentos contrários ao evangelho. O aviso de Jesus foi certeiro: não poderiam comprometer a verdade; precisavam corrigir imediatamente sua direção.

Hoje, nossa cultura nos oferece uma enormidade de deuses e cosmovisões. Essas opções podem parecer atraentes, mas são contrárias à mensagem de Jesus. Jesus afirma que ele é o caminho, a verdade e a vida — a única opção. Nada mais nos leva a algo significativo. Como cristãos, não podemos ser enganados pelas tentações do mundo. Cristo deve continuar sendo nossa pedra angular. A exemplo dos cristãos de Pérgamo, todos nós podemos falhar na regra 1 em 60 e desviar-nos do caminho. Na maioria das vezes, esse desvio espiritual é o resultado de muitos erros pequenos, e a verdade é que nenhum de nós está imune a eles. Sempre precisamos de Jesus para diagnosticar onde caímos e para nos levar de volta para casa.

Com o Espírito Santo como nosso auxiliador e a Bíblia como nosso guia, temos a todo tempo acesso à verdade de Deus para manter nossa fé abastecida. É por isso que a prática do devocional diário é tão importante. Ela nos ajuda a localizar onde nos desviamos e a agarrar a verdade no dia a dia. Nossa terceira chave para uma devoção mais profunda é esta: Fique atento! Considere onde pode ter se desviado e busque em oração que Deus corrija seu curso. Com a ajuda do alto, sempre há um caminho de volta. Basta arrepender-se, isto é, mudar a direção. Jesus o espera com perdão transbordante, pois não há condenação para aqueles que estão em Cristo Jesus.

Oração

Querido Deus, obrigado por seres minha Rocha eterna. Tu me mostras o caminho para a vida. Perdoa-me por ter pecado, por ter me afastado de alguma forma e permitido que as coisas deste mundo me distraíssem. Hoje, eu quero voltar para casa, Pai. Sonda-me e endireita meus caminhos. Quero viver de modo a nunca envergonhar teu santo nome. Obrigado por teu perdão transbordante. Em nome de Jesus. Amém.

Anotações

"A salvação não é uma recompensa para os justos, mas um presente para os culpados."
Steve Lawson

DIA 4

Lições de Tiatira

APOCALIPSE 2.18-19,24-29

"Escreva esta carta ao anjo da igreja em Tiatira. Esta é a mensagem do Filho de Deus, cujos olhos são como chamas de fogo e cujos pés são como bronze polido: Sei de tudo que você faz. Vi seu amor, sua fé, seu serviço e sua perseverança, e observei como você tem crescido em todas essas coisas. [...]. Não lhes pedirei coisa alguma, senão que se apeguem firmemente ao que já têm até que eu venha. Ao vitorioso que me obedecer até o fim, Eu darei autoridade sobre as nações. Ele as governará com cetro de ferro e as despedaçará como vasos de barro. Ele terá a mesma autoridade que recebi de meu Pai, e também lhe darei a estrela da manhã. Quem tem ouvidos para ouvir, ouça o que o Espírito diz às igrejas."

Devocional

Pesquisas sugerem que os hábitos representam cerca de 40% de nosso comportamento diário. Eles são o fundamento de nosso estilo de vida: bons hábitos nos ajudam e maus hábitos nos prejudicam. O empresário Jim Rohn afirma o seguinte: "Sucesso diz respeito a algumas disciplinas simples praticadas todos os dias, enquanto fracasso consiste em alguns erros de julgamento repetidos todos os dias". O mesmo se aplica a nossa fé. Práticas intencionais e disciplinas saudáveis aprofundam nossos relacionamentos humanos e contribuem para nossa união com Jesus.

Para quem deseja aproximar-se de Deus, a mensagem para Tiatira é muito útil e destaca alguns hábitos espirituais relevantes. No versículo 19, Jesus faz uma sequência de elogios: "Sei de tudo que você faz. Vi seu amor, sua fé, seu serviço e sua perseverança, e observei como você tem crescido em todas essas coisas". Jesus elogia cinco características habituais dos cristãos em Tiatira: amor, fé, serviço, perseverança e frutos. São virtudes formadas mediante a prática ao longo do tempo. Vidas consistentes nessas virtudes honram a Deus e refletem sua natureza. Como cristãos, todos somos chamados a crescer nessas áreas.

Para que essas virtudes se tornem hábitos em nossa vida, devemos começar aos poucos. Um hábito é mais facilmente formado quando o alvo é dividido em partes executáveis e repetidas regularmente. Não deixe que conceitos como "fé" e "perseverança" se restrinjam ao âmbito das ideias. Pense em como criar pequenas oportunidades diárias para praticar essas virtudes. Se quer crescer no amor, por exemplo, escolha algo pequeno que você pode fazer hoje, como pagar um almoço ou expressar amor a alguém. Comece em algum lugar, e repita amanhã. Quanto mais regularmente você escolher o amor, mais ele se tornará seu padrão.

O mesmo vale para fé, serviço, perseverança. Ajude alguém, participe de uma iniciativa comunitária, ore a respeito de algo específico. Dê um passo à frente. Tornar-se mais parecido com Cristo não acontece por acaso. Temos o auxílio do Espírito Santo, mas ainda precisamos escolher crescer nas virtudes cristãs. São os hábitos que promovem o crescimento espiritual. Portanto, escolha hoje uma prática espiritual para se tornar um hábito. E, ao falhar, deixe o que passou e comece de novo. A chave de hoje para a devoção espiritual é esta: Construa bons hábitos, centrados em torno de Jesus. O que você fará hoje?

Oração

Querido Deus e Pai santo, obrigado por tua gentileza. Tu és o modelo perfeito de todas as virtudes. Nós amamos e servimos porque Cristo nos amou e serviu primeiro. À medida que busco aproximar-me de ti, ajuda-me a desenvolver hábitos fortes de amor, serviço, fidelidade e perseverança. Mostra-me por onde começar. Ensina-me a ser mais como Jesus e ajuda-me a crescer um pouco mais em minha fé, a cada dia. Em nome de Jesus. Amém.

Anotações

> A experiência de santidade não é um dom que recebemos, como a justificação, mas algo que somos claramente exortados a conseguir com esforço.
>
> Jerry Bridges

DIA 5
Lições de Sardes

APOCALIPSE 3.1-6

"Escreva esta carta ao anjo da igreja em Sardes. Esta é a mensagem daquele que tem os sete espíritos de Deus e as sete estrelas: Sei de tudo que você faz. Você tem fama de estar vivo, mas está morto. Desperte! Fortaleça o pouco que resta, pois até mesmo isso está quase morto. Vejo que suas ações não atendem aos requisitos de meu Deus. Lembre-se do que ouviu e no que acreditou no princípio; agarre-se a isso com firmeza. Arrependa-se. Se não despertar, virei subitamente até você, como um ladrão. Há alguns em Sardes, no entanto, que não mancharam suas roupas com o mal. Eles andarão comigo vestidos de branco, pois são dignos. O vitorioso será vestido de branco. Jamais apagarei seu nome do Livro da Vida e confirmarei, diante de meu Pai e de seus anjos, que ele me pertence. Quem tem ouvidos para ouvir, ouça o que o Espírito diz às igrejas."

Devocional

Você já dormiu em meio a algum acontecimento importante? Adormecer de forma negligente pode causar sérios problemas, e a cidade de Sardes experimentou isso. Sardes havia sido em outros tempos a joia do reino Lídio: uma espetacular acrópole montada sobre uma área geográfica naturalmente perfeita. Porém, a localização vantajosa da cidade fez que seus habitantes se tornassem arrogantes e se achassem invencíveis. O historiador grego Heródoto registrou que, em 546 a.C., a cidade foi saqueada catastroficamente à noite por invasores persas porque os guardas haviam adormecido e deixado a muralha desguardada. O mesmo aconteceu três séculos depois e, em 214 a.C., Sardes foi saqueada pelos sírios enquanto os vigias dormiam. Entregar-se ao sono custou caro.

Considerando esse contexto, as palavras de Jesus devem ter ressoado com força para aquela igreja: "Desperte!". Para uma cidade conhecida por um sono devastador, essa fala carregava enorme peso. Nós sabemos que Jesus estava falando em amor. Não estava alertando a igreja a fim de condená-la, mas sim para que ela acordasse. Ele não queria que a igreja fosse destruída em sua apatia ou levada cativa por filosofias mundanas por estar dormindo espiritualmente. Jesus queria que seu povo se levantasse e lutasse por sua fé. Hoje, precisamos desse mesmo chamado.

Vivemos em um mundo quebrado que precisa de Jesus, um mundo que precisa conhecer seu amor. Como representantes de Deus, recebemos a comissão de compartilhar sua mensagem de esperança. No entanto, muitas vezes nos tornamos apáticos à verdade impressionante que carregamos, e isso não pode acontecer. Felizmente, Jesus nos dá o antídoto para a sonolência espiritual. Ele nos diz como ficar atentos com um manual rápido de três etapas: "Fortaleça o que resta", "Lembre-se do que ouviu" e "Arrependa-se".

"Fortalecer o que resta" nos lembra que a batalha pela fé não chegou ao fim. Há sempre esperança, pois Jesus já conquistou a vitória. "Lembre-se do que ouviu" nos encoraja a retornar aos fundamentos ao enfrentar nossas lutas. Mergulhe novamente no evangelho, pondere sobre a ressurreição de Jesus, contemple sua graça extraordinária. E, por fim, "Arrependa-se" nos chama à contrição e à disciplina, a fazer a escolha resoluta de permanecer firmes na fé. Peça perdão por seus erros e persevere no caminho. Nossa quinta chave de devoção espiritual é esta: Desperte! Não deixe a vida passar à sua frente, pois Deus tem muito para você.

Oração

Querido Deus e Pai, obrigado por estares comigo em tudo que faço. Arrependo-me por me esquecer de ti e tantas vezes tentar fazer as coisas com minhas próprias forças. Desperta-me hoje para cumprir tua vontade e ajuda-me a permanecer alerta em minha caminhada de fé. Em nome de Jesus. Amém.

Anotações

> Deus é capaz de tomar a bagunça de nosso passado e transformá-la em uma mensagem. Ele pega as provações pelas quais passamos e as converte em testemunho.
> Christine Caine

DIA 6

Lições de Filadélfia

APOCALIPSE 3.7-13

"Escreva esta carta ao anjo da igreja em Filadélfia. Esta é a mensagem daquele que é santo e verdadeiro, que tem a chave de Davi. O que ele abre ninguém pode fechar, e o que ele fecha ninguém pode abrir: Sei de tudo que você faz. Abri para você uma porta que ninguém pode fechar. Você tem pouca força, mas ainda assim obedeceu à minha palavra e não negou meu nome. Veja, obrigarei aqueles que pertencem à sinagoga de Satanás — os mentirosos que se dizem judeus, mas não são — a virem, prostrarem-se a seus pés e reconhecerem que amo você. Porque obedeceu à minha ordem para perseverar, eu o protegerei do grande tempo de provação que virá sobre todo o mundo para pôr à prova os habitantes da terra. Venho em breve. Apegue-se ao que você tem, para que ninguém tome sua coroa. O vitorioso se tornará coluna do templo de meu Deus, de onde jamais sairá. Escreverei nele o nome de meu Deus, e ele será cidadão da cidade de meu Deus, a nova Jerusalém que desce do céu, da parte de meu Deus. E também escreverei nele o meu novo nome. Quem tem ouvidos para ouvir, ouça o que o Espírito diz às igrejas."

Devocional

Segundo um provérbio japonês, "um desastre natural sempre ataca quando o último é esquecido". Palavras pertinentes em um país com uma longa história de terremotos e *tsunamis*. Percorrendo o litoral do Japão, encontram-se pedras com avisos de eventos passados, com frases como: "Esteja sempre preparado para *tsunamis* inesperados" ou "Não construa casas abaixo deste ponto". São mensagens do passado para servir ao presente.

As proclamações de Jesus às igrejas nos oferecem algo semelhante hoje. Elas nos fornecem direção espiritual. Da mesma forma que as pedras no Japão alertam as gerações futuras de desastres naturais, as palavras de Jesus continuam a salvar gerações do desastre espiritual. Quando damos ouvidos às advertências de Cristo, somos poupados da destruição do pecado e encaminhados para a vida eterna. Filadélfia foi uma igreja que agradou profundamente a Jesus. Embora tenham sofrido perseguição, lidaram com esses desafios de modo admirável. Permaneceram firmes e fiéis à Palavra de Deus. Consequentemente, iriam colher as bênçãos das promessas de Jesus.

Há muitos ensinamentos nessa passagem. Aqui nos concentraremos no seguinte princípio: se você permanecer perto de Jesus e se apegar à sua Palavra, poderá resistir a qualquer coisa. Apesar de tudo que acometia a igreja da Filadélfia, Jesus elogia seus membros porque mantiveram sua palavra e não negaram seu nome. Isso não ocorreu porque eram pessoas especiais, diferentes de nós, pois Jesus acrescentou que eles tinham "pouca força". Eram pessoas normais. O segredo deles era a fé simples e a obediência radical. Eles deram total crédito à Palavra de Deus, suportaram pacientemente e não desistiram do caminho, simplesmente porque Deus assim os instruiu. Esse é um exemplo inspirador para nós.

Não lide com as dificuldades com suas próprias forças, mas à maneira de Deus. E tenha bom ânimo: Jesus revela o melhor dele quando estamos em nosso pior. A graça de Deus é suficiente porque seu poder se aperfeiçoa na fraqueza. Jesus procura obediência em nós, não força. Ele quer que o sigamos com fé singela e confiança genuína. Então, permanecendo perto de Jesus e mantendo-nos fiéis à Palavra, poderemos resistir a qualquer tempestade. A exortação de Jesus à Filadélfia nos lembra que a devoção espiritual se fortalece através da obediência, e esta é nossa sexta chave: Guarde a Palavra de Deus. Quando Deus está presente, nada pode afastar você do caminho.

Oração

Amado Deus e Pai, obrigado pelo exemplo inspirador de fidelidade e perseverança da igreja na Filadélfia. Ajuda-me a crescer em obediência a ti e a perseverar. Obrigado por teu amor, tua graça e teu perdão. Quero seguir-te para onde quer que me chamares. Eu te agradeço por teu imenso poder, que se aperfeiçoa em minha fraqueza. Hoje entrego a ti minha fraqueza e escolho confiar em ti por toda a minha vida. Em nome de Jesus. Amém.

Anotações

> Estamos todos diante de uma série de grandes oportunidades brilhantemente disfarçadas de situações impossíveis.
> Charles Swindoll

DIA 7

Lições de Laodiceia

APOCALIPSE 3.14-22

"Escreva esta carta ao anjo da igreja em Laodiceia. Esta é a mensagem daquele que é o Amém, a testemunha fiel e verdadeira, a origem da criação de Deus: Sei de tudo que você faz. Você não é frio nem quente. Desejaria que fosse um ou o outro! Mas, porque é como água morna, nem quente nem fria, eu o vomitarei de minha boca. Você diz: 'Sou rico e próspero, não preciso de coisa alguma'. E não percebe que é infeliz, miserável, pobre, cego e está nu. Eu o aconselho a comprar de mim ouro purificado pelo fogo, e então será rico. Compre também roupas brancas, para que não se envergonhe de sua nudez, e colírio para aplicar nos olhos, a fim de enxergar. Eu corrijo e disciplino aqueles que amo. Por isso, seja zeloso e arrependa-se. Preste atenção! Estou à porta e bato. Se você ouvir minha voz e abrir a porta, entrarei e, juntos, faremos uma refeição, como amigos. O vitorioso se sentará comigo em meu trono, assim como eu fui vitorioso e me sentei com meu Pai em seu trono. Quem tem ouvidos para ouvir, ouça o que o Espírito diz às igrejas".

Devocional

Chegamos à proclamação de Cristo à igreja de Laodiceia, a repreensão mais severa feita por Jesus. Eles haviam criado uma situação caótica, confusa e constrangedora, e não havia nada que Jesus pudesse elogiar. Laodiceia se considerava uma metrópole moderna. Um aqueduto vinha do sul, trazendo água para seus habitantes. No entanto, o comprimento do aqueduto significava que a água chegava ali muitas vezes já morna e indesejável. A água fria era refrescante, e a quente servia para o banho, mas a morna era inútil.

Jesus usa essa metáfora para disparar um aviso sério a uma igreja complacente. Embora os cristãos laodicenses vivessem exteriormente em prosperidade, espiritualmente eram "infelizes, miseráveis, pobres, cegos e estavam nus". Enquanto os laodicenses se viam como "praticantes do bem", Jesus apontou-lhes a realidade. A igreja havia se esquecido de sua identidade em Cristo e vivia mundanamente sob o pretexto de serem cristãos. Serviam arrogantemente a Jesus apenas com os lábios, mas não viviam verdadeiramente para ele. Haviam se esquecido do evangelho. Estavam em cima do muro, e Jesus deixou claro: a vida morna não é uma opção; mornos eles não serviriam para nada.

O cristianismo sem coração não beneficia ninguém. C.S. Lewis escreveu: "O cristianismo, se falso, não tem importância, e se verdadeiro, tem importância infinita. A única coisa que não pode ser é moderadamente importante". Ou seja, não há meio-termo. O cristianismo morno não agrada a Deus. Se você está lendo isto e se preocupando com sua própria fé, não entre em pânico. Lembre-se que os avisos de Jesus visam nos ajudar, não nos prejudicar. O próprio fato de você estar pensando nisso sugere que você se preocupa em viver para Deus.

Além disso, Jesus deixa claro que nunca é tarde demais para mudar de direção se você tiver se desviado. Ele diz: "Estou à porta e bato. Se você ouvir minha voz e abrir a porta, entrarei e, juntos, faremos uma refeição, como amigos". Ele está disponível, pronto para perdoar e receber você. Jesus quer todo o seu coração. Se você já tem vivido mergulhado na fé, busque ir ainda mais fundo. Esta é nossa chave final para a devoção espiritual: Não fique dividido. Escolha seguir Jesus de todo o coração e por inteiro, e você nunca se arrependerá.

Oração

Querido Senhor Jesus, obrigado por tua Palavra viva. Hoje, quero reacender minha paixão e zelo por tua causa. Quero entregar tudo em favor do evangelho. Conduz-me mais profundamente no relacionamento contigo, custe o que custar. Ajuda-me a não ser morno em minha fé, mas a viver completamente para ti. Em nome de Jesus. Amém.

Anotações

DECLARAÇÃO DE FÉ

A declaração é o poder de usar nossas palavras para dizer em voz alta a verdade sobre quem Deus é e quais são suas promessas para nós. Com isso, nós nos alinhamos às palavras poderosas contidas na Bíblia e as introduzimos em nossa vida. A Palavra de Deus é sempre a palavra final.

Portanto, faça esta declaração sobre a fidelidade de Deus, para que sua fé em Cristo seja encorajada, fortalecida e afirmada.

> Eu creio e confio que a fidelidade de Deus é um de seus atributos imutáveis.
> Ele sempre faz exatamente o que diz que fará e age conforme sua natureza.
> Ele nunca pode negar a si mesmo, portanto posso contar com ele para me tornar mais parecido com Cristo, usando para isso até mesmo, ou principalmente, as circunstâncias dolorosas da vida.
> A natureza imutável e a fidelidade de Deus são o fundamento de minha esperança, porque ele não mudará de ideia a respeito de minha salvação.
> Tenho a certeza da eternidade.
> Porque meu Deus é o Rei soberano de todo o universo, nunca precisarei temer que este mundo esteja fora de seu controle.
> Os planos de Deus foram traçados antes da fundação do mundo, e ninguém pode frustrá-los ou mudar sua vontade.
> Porque Deus é fiel, posso ter paz de espírito em qualquer circunstância, mesmo diante da morte.
> Embora eu mude com o tempo, e embora fases da vida venham e vão, meu Deus é fiel e é o mesmo sempre.
> Uma vez que, por meio de Cristo, eu pertenço a ele, ele jamais me esquecerá, negligenciará ou abandonará.
> Ele prometeu me preservar irrepreensível "até a volta de nosso Senhor Jesus Cristo" (1Tessalonicenses 5.23), e ele o fará.
> Quem é como tu, ó Deus todo-poderoso?
> Teu amor, Senhor, alcança os céus, e tua fidelidade também.
> O que quer que eu enfrente nesta vida, tu me sustentarás porque és fiel.
> Nisto deposito minha esperança e confiança.
> Eu declaro em nome de Jesus Cristo.
> Amém.

CONTEÚDO EXTRA

 Ouça "A história de Tomé"

Glorify

O Glorify é um aplicativo desenvolvido para ajudar cristãos em todo o mundo a fortalecer sua conexão diária com Deus.

Baixe o aplicativo Glorify e conecte-se com Deus todos os dias.

O aplicativo traz leituras bíblicas, meditações, músicas e muito mais para ajudar na sua rotina de devocional diário. Você pode criar o seu próprio hábito de adoração, fazer listas pessoais de orações e abrir as Escrituras a qualquer momento, fortalecendo sua fé por meio de devocionais diários e meditações cristãs.

Esperamos você lá!

📷 @glorifyappbr　　♪ @glorifyappbr

Compartilhe suas impressões de leitura,
mencionando o título da obra, pelo *e-mail*
opiniao-do-leitor@mundocristao.com.br
ou por nossas redes sociais

Esta obra foi composta com tipografia Avenir e Museo Slab
e impressa em papel Offset 90 g/m² na gráfica Ipsis